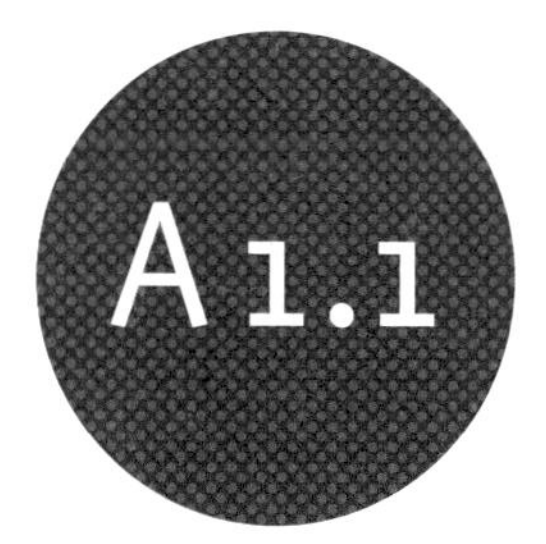

Sabine Glas-Peters
Angela Pude
Monika Reimann

MENSCHEN

Deutsch als Fremdsprache
Arbeitsbuch

Hueber Verlag

Literaturseiten:
Paul und Herr Rossmann machen Ferien: Urs Luger, Wien

8. 7. 6. | Die letzten Ziffern
2020 19 18 17 16 | bezeichnen Zahl und Jahr des Druckes.
Alle Drucke dieser Auflage können, da unverändert,
nebeneinander benutzt werden.
1. Auflage

Umschlaggestaltung: Sieveking · Agentur für Kommunikation, München und Berlin
Zeichnungen: Hueber Verlag/Michael Mantel
Layout und Satz: Sieveking · Agentur für Kommunikation, München und Berlin
Verlagsredaktion: Jutta Orth-Chambah, Marion Kerner, Gisela Wahl, Hueber Verlag, Ismaning
Druck und Bindung: Passavia Druckservice GmbH & Co. KG, Passau
Printed in Germany
ISBN 978-3-19-311901-8

Art. 530_03220_001_06

VORWORT

Das Arbeitsbuch *Menschen* dient dem selbstständigen Üben und Vertiefen des Lernstoffs im Kursbuch.

Aufbau einer Lektion:

Basistraining: Vertiefen und Üben von Grammatik, Wortschatz und Redemitteln. Es gibt eine Vielfalt von Übungstypologien, u.a. Aufgaben zur Mehrsprachigkeit (Bewusstmachen von Gemeinsamkeiten und Unterschieden zum Englischen und/ oder anderen Sprachen) und Aufgaben füreinander (gegenseitiges Erstellen von Aufgaben für die Lernpartnerin / den Lernpartner).

Training Hören, Lesen, Sprechen und Schreiben: Gezieltes Fertigkeitentraining, das unterschiedliche authentische Textsorten und Realien sowie interessante Schreib- und Sprechanlässe umfasst. Diese Abschnitte bereiten gezielt auf die Prüfungen vor und beinhalten Lernstrategien und Lerntipps.

Training Aussprache: Systematisches Üben von Satzintonation, Satzakzent und Wortakzent sowie Einzellauttraining.

Test: Möglichkeit für den Lerner, den gelernten Stoff zu testen. Der Selbsttest besteht immer aus den drei Kategorien *Wörter, Strukturen und Kommunikation*.
Je nach Testergebnis stehen im Internet unter *www.hueber.de/menschen/lernen* vertiefende Übungen in drei verschiedenen Schwierigkeitsgraden zur Verfügung.

Lernwortschatz: Der aktiv zu lernende Wortschatz mit Angaben zum Sprachgebrauch in der Schweiz (CH) und in Österreich (A) sowie Tipps zum Vokabellernen.

Modulseiten:
Weitere Aufgaben, die den Stoff des Moduls nochmals aufgreifen und kombiniert üben.

Wiederholungsstation Wortschatz/Grammatik bietet Wiederholungsübungen zum gesamten Modul.

Selbsteinschätzung: Mit der Möglichkeit, den Kenntnisstand selbst zu beurteilen.

Rückblick: Abrundende Aufgaben zu jeder Kursbuchlektion, die den Stoff einer Lektion noch einmal in zwei unterschiedlichen Schwierigkeitsstufen zusammenfassen.

Literatur: In unterhaltsamen Episoden wird eine Fortsetzungsgeschichte erzählt.

Piktogramme und Symbole

Hörtext auf CD ▶ 1 02

Kursbuchverweis KB 3

Aufgaben zur Mehrsprachigkeit

Aufgaben füreinander ● ●

Lernstrategien und Lerntipps

TIPP
Malen Sie Bilder zu neuen Wörtern.

Regelkasten für Phonetik

REGEL
Der Wortakzent ist
○ immer auf Silbe 2.
○ flexibel. Den richtigen Wortakzent findet man im Wörterbuch.

Vertiefende Aufgabe

Erweiternde Aufgabe

Übungen in drei Schwierigkeitsgraden zu den Selbsttests und die Lösungen zu allen Aufgaben im Arbeitsbuch finden Sie im Internet unter *www.hueber.de/menschen/lernen*.

		INHALTE	SEITE
1	**Hallo! Ich bin Nicole ...**	**Basistraining**	6
		Training: Hören	9
		Training: Aussprache – *Satzmelodie*	9
		Test	10
		Lernwortschatz	11
2	**Ich bin Journalistin.**	**Basistraining**	12
		Training: Lesen	15
		Training: Aussprache – *Wortakzent*	15
		Test	16
		Lernwortschatz	17
3	**Das ist meine Mutter.**	**Basistraining**	18
		Training: Sprechen	21
		Training: Aussprache – *Satzmelodie bei Fragen*	21
		Test	22
		Lernwortschatz	23
MODUL 1	**Wiederholungsstation: Wortschatz**		24
	Wiederholungsstation: Grammatik		25
	Selbsteinschätzung: Das kann ich!		26
	Rückblick *zu Lektion 1–3*		27
	Literatur: Paul und Herr Rossmann machen Ferien, Teil 1: *Ich heiße Paul.*		29
4	**Der Tisch ist schön!**	**Basistraining**	30
		Training: Lesen	33
		Training: Aussprache – *lange und kurze Vokale*	33
		Test	34
		Lernwortschatz	35
5	**Was ist das? – Das ist ein F.**	**Basistraining**	36
		Training: Schreiben	39
		Training: Aussprache – *Satzakzent*	39
		Test	40
		Lernwortschatz	41
6	**Ich brauche kein Büro.**	**Basistraining**	42
		Training: Hören	45
		Training: Aussprache – *Vokal „ü“*	45
		Test	46
		Lernwortschatz	47
MODUL 2	**Wiederholungsstation: Wortschatz**		48
	Wiederholungsstation: Grammatik		49
	Selbsteinschätzung: Das kann ich!		50
	Rückblick *zu Lektion 4–6*		51
	Literatur: Paul und Herr Rossmann machen Ferien, Teil 2: *Eine Sonnenbrille, bitte!*		53

INHALT

Hallo! Ich bin Nicole ...

KB 2 **1** **Ordnen Sie zu.**

STRUKTUREN

heiße | du | Hallo | heißt | ~~Ich~~ | ich | wer | wie

■ Hallo! Ich bin Wiebke. Und ___wer___ bist ___du___ ?
▲ ___Hallo___ , ___ich___ bin Stefan.

■ Ich heiße René. Und ___wie___ ___heißt___ du?
▲ Ich ___heiße___ Alfred.

KB 3 **2** **Sortieren Sie.**

KOMMUNIKATION

4 Ja, ich komme aus Deutschland. Und woher kommst du, Roberto? Aus Portugal?
6 Aus Brasilien? Wow!
2 Ich heiße Melanie.
5 Nein, ich komme aus Brasilien.
1 Hallo! Ich heiße Roberto, und wer bist du?
3 Und woher kommst du? Aus Deutschland?

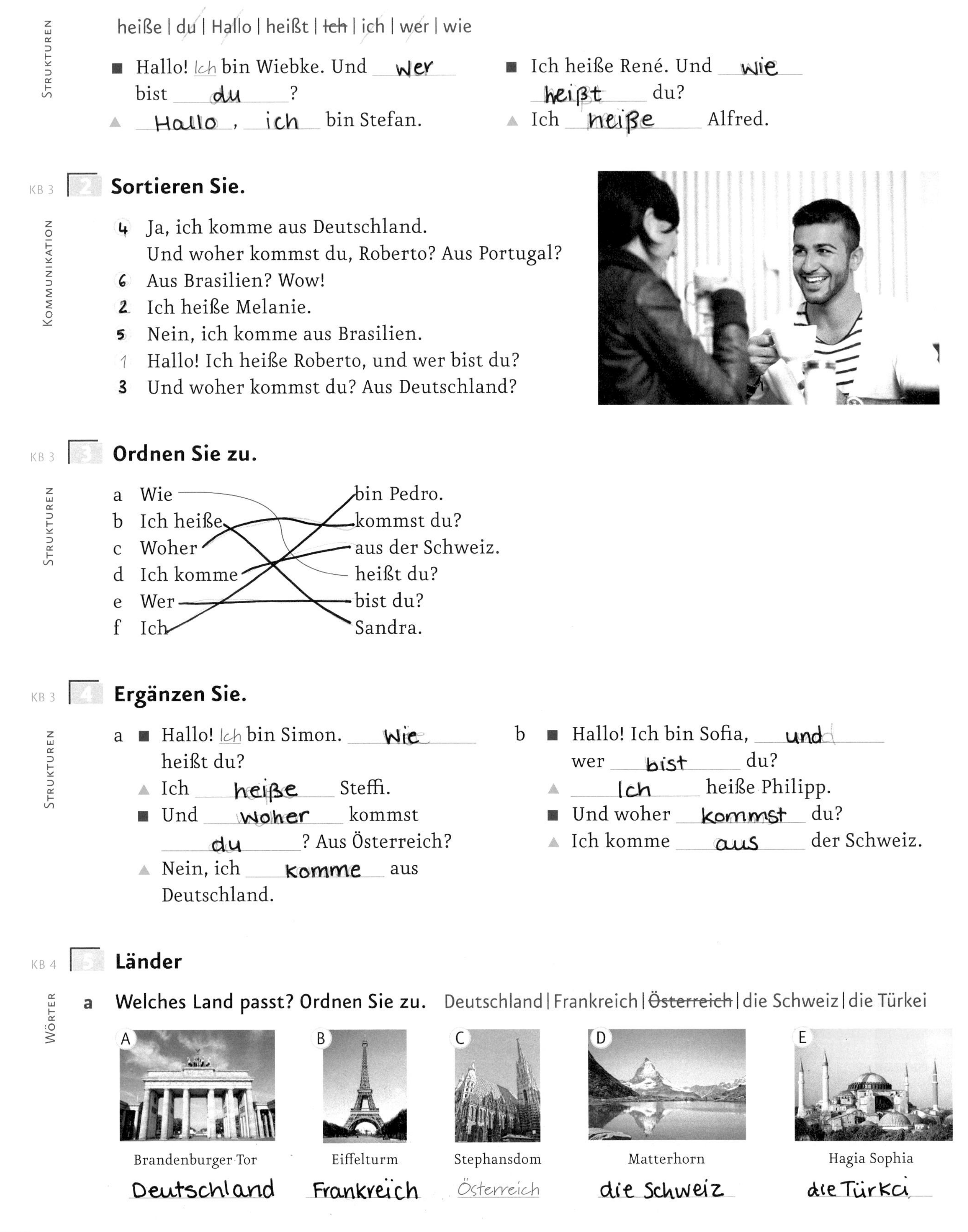

KB 3 **3** **Ordnen Sie zu.**

STRUKTUREN

a	Wie	bin Pedro.
b	Ich heiße	kommst du?
c	Woher	aus der Schweiz.
d	Ich komme	heißt du?
e	Wer	bist du?
f	Ich	Sandra.

KB 3 **4** **Ergänzen Sie.**

STRUKTUREN

a ■ Hallo! Ich bin Simon. ___Wie___ heißt du?
▲ Ich ___heiße___ Steffi.
■ Und ___woher___ kommst ___du___ ? Aus Österreich?
▲ Nein, ich ___komme___ aus Deutschland.

b ■ Hallo! Ich bin Sofia, ___und___ wer ___bist___ du?
▲ ___Ich___ heiße Philipp.
■ Und woher ___kommst___ du?
▲ Ich komme ___aus___ der Schweiz.

KB 4 **5** **Länder**

WÖRTER

a **Welches Land passt? Ordnen Sie zu.** Deutschland | Frankreich | ~~Österreich~~ | die Schweiz | die Türkei

A	B	C	D	E
Brandenburger Tor	Eiffelturm	Stephansdom	Matterhorn	Hagia Sophia
Deutschland	Frankreich	Österreich	die Schweiz	die Türkei

BASISTRAINING

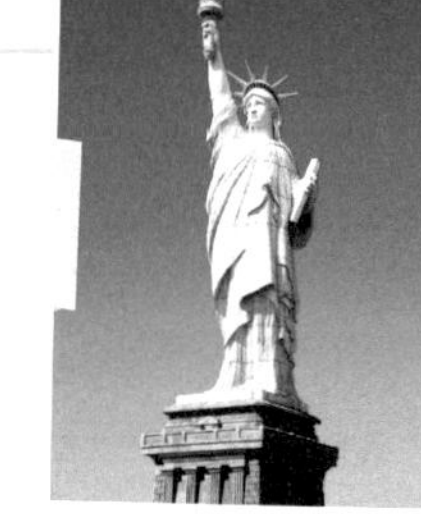

b Suchen Sie typische Fotos und schreiben Sie die Ländernamen auf Kärtchen. Ihre Partnerin / Ihr Partner ordnet zu.

USA

KB 6a

6 *du* oder *Sie*?

unformal → du; formal → Sie

KOMMUNIKATION

a Ordnen Sie zu.

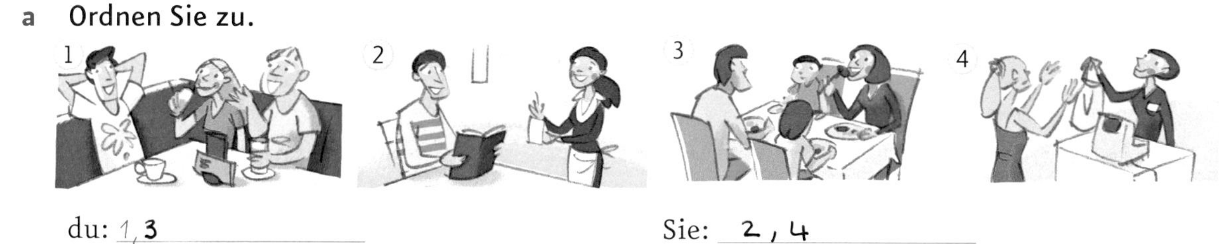

du: 1, 3 Sie: 2, 4

b *du* oder *Sie*? Ergänzen und vergleichen Sie.

Deutsch	Englisch	Meine Sprache oder andere Sprachen
du	you	Tu
Sie	you	Usted

KB 6a

7 *du* oder *Sie*? Kreuzen Sie an.

KOMMUNIKATION

a Woher kommen ◯ du ☒ Sie, Herr Svendson?
b Hallo, ich bin Tine. Und wer bist ☒ du ◯ Sie?
c Kolja, woher kommst ☒ du ◯ Sie?
d Frau Klein, woher kommen ◯ du ☒ Sie?
e Woher kommst ☒ du, ◯ Sie, Shema?

KB 6a

8 Ergänzen Sie.

STRUKTUREN

a ■ Woher kommst du?
▲ Ich komme aus Spanien. Und du?
■ Ich komme aus dem Iran.
b ■ Hallo. Ich heiße Maria. Und wie heißt du?
▲ Ich heiße Michael.
c ■ Guten Tag, Frau Matard. Woher kommen Sie? Aus Frankreich?
▲ Nein, ich komme aus der Schweiz.

KB 6c

9 Schreiben Sie Sätze zu den Fotos.

STRUKTUREN

A

Philipp Lahm, Deutschland

Das ist Philipp Lahm. Er kommt aus Deutschland.

B

Wolfgang Amadeus Mozart, Österreich

Das ist Mozart. Er kommt aus Österreich

C

Prinz Felipe, Spanien

Das ist Prinz Felipe. Er kommt aus Spanien

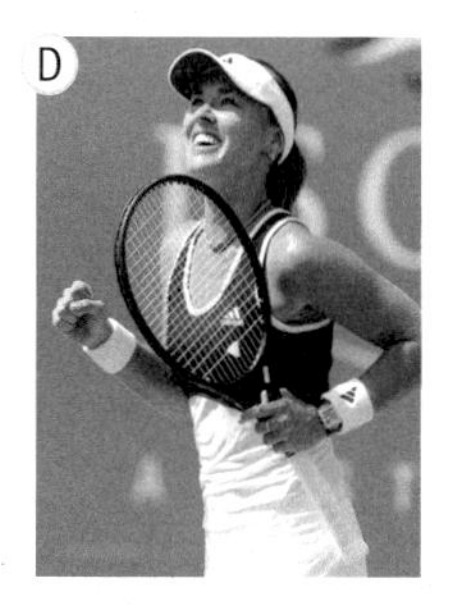
D

Martina Hingis, Schweiz

Das ist Martina Hingis. sei kommt aus die schweiz

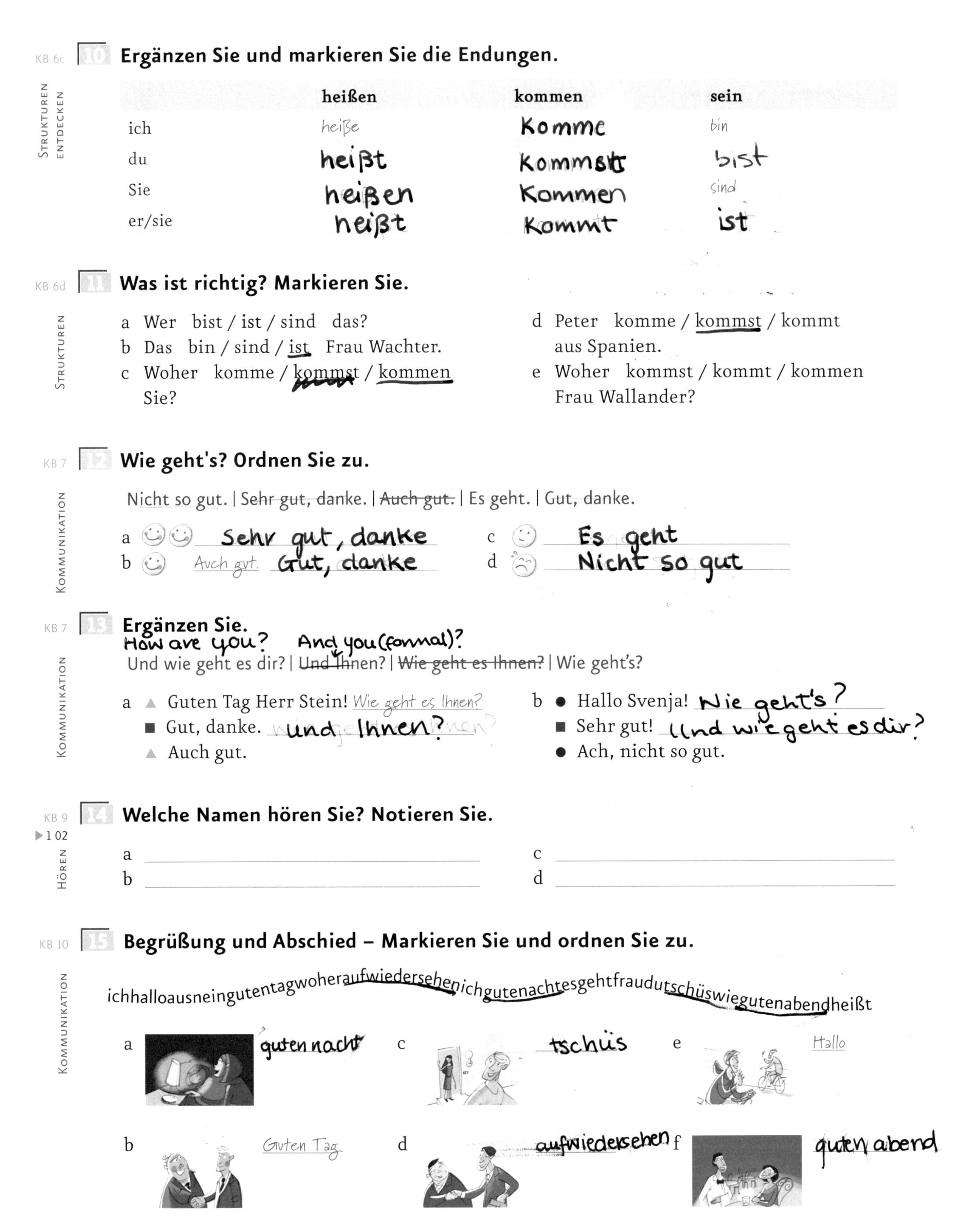

KB 6c **10** **Ergänzen Sie und markieren Sie die Endungen.**

STRUKTUREN ENTDECKEN

	heißen	kommen	sein
ich	heiße	Komme	bin
du	heißt	Kommst	bist
Sie	heißen	Kommen	sind
er/sie	heißt	Kommt	ist

KB 6d **11** **Was ist richtig? Markieren Sie.**

STRUKTUREN

a Wer bist / ist / sind das?
b Das bin / sind / ist Frau Wachter.
c Woher komme / kommst / kommen Sie?
d Peter komme / kommst / kommt aus Spanien.
e Woher kommst / kommt / kommen Frau Wallander?

KB 7 **12** **Wie geht's? Ordnen Sie zu.**

KOMMUNIKATION

Nicht so gut. | Sehr gut, danke. | Auch gut. | Es geht. | Gut, danke.

a ☺☺ Sehr gut, danke
b ☺ Auch gut. Gut, danke
c Es geht
d ☹ Nicht so gut

KB 7 **13** **Ergänzen Sie.**

KOMMUNIKATION

How are you? And you (formal)?

Und wie geht es dir? | Und Ihnen? | Wie geht es Ihnen? | Wie geht's?

a ▲ Guten Tag Herr Stein! Wie geht es Ihnen?
■ Gut, danke. Und Ihnen?
▲ Auch gut.

b ● Hallo Svenja! Wie geht's?
■ Sehr gut! Und wie geht es dir?
● Ach, nicht so gut.

KB 9 ▶1 02 **14** **Welche Namen hören Sie? Notieren Sie.**

HÖREN

a ____________
b ____________
c ____________
d ____________

KB 10 **15** **Begrüßung und Abschied – Markieren Sie und ordnen Sie zu.**

KOMMUNIKATION

ichhalloausneingutentagwoheraufwiedersehenichgutenachtesgehtfraudutschüswiegutenabendheißt

a gute nacht
b Guten Tag
c tschüs
d aufwiedersehen
e Hallo
f guten abend

TRAINING: HÖREN

1 Wie heißt du?

a Ergänzen Sie in den Fragen: *wie, woher* oder *wer?*

1 ■ Wie heißt du?
▲ Mein Name ist Miguel Munoz. / ▲ ____________

2 ■ woher kommst du?
▲ Ich komme aus Spanien / ▲ ____________

3 ■ Und wie ist das?
▲ Das ist mine mutter / ▲ ____________

4 ■ Hallo, Frau Burgos. Wie geht es Ihnen?
▲ Hallo, Gut, danke. / ▲ ____________

b Ordnen Sie die passenden Antworten in a zu.

Das ist Frau Burgos. | Gut, danke. Und Ihnen? | Aus Spanien. | Das ist Anna Burgos. | Ich heiße Miguel. | Ich komme aus Spanien. | ~~Mein Name ist Miguel Munoz~~. | Danke, gut.

▶ 1 03-05

2 Hören Sie und kreuzen Sie an.

a Woher kommt Frau Talipa?

○ aus Österreich ○ aus Spanien ○ aus Russland

b Wie geht es Laura?

○ Sehr gut. ○ Gut. ○ Es geht.

c Welcher Name passt?

○ Alioscha ○ Aliosha ○ Aljoscha

TIPP
Zuerst lesen – dann hören
1. Lesen Sie zuerst die Fragen.
2. Hören Sie dann.

Pronunciación.
~~Prona~~

TRAINING: AUSSPRACHE *Satzmelodie*

▶ 1 06

1 Hören Sie und sprechen Sie nach.

■ Wie heißt du? ↘
▲ Ich heiße Paco. ↘ Und wer bist du? ↗
■ Ich bin Nicole. ↘

2 Ergänzen Sie die Regel: ↗ oder ↘.

REGEL
Wie ist die Satzmelodie ...?
bei Aussagen (Ich heiße Paco.): ____
bei W-Fragen (Wie heißt du?): ____
bei Rückfragen (Und wer bist du?): ____

▶ 1 07

3 Hören Sie und ergänzen Sie ↘ oder ↗. Sprechen Sie dann mit Ihrer Partnerin / Ihrem Partner.

■ Hallo. ____
▲ Hallo, Paco. ____ Wie geht es dir? ____
■ Danke, ____ gut. ____ Und dir? ____

TEST

1 Was passt zusammen? Ordnen Sie zu.

WÖRTER

~~Abend~~ | ~~Morgen~~ | Auf | ~~Guten~~ | ~~Nacht~~ | ~~Gute~~ | ~~Guten~~ | Wiedersehen | ~~Tag~~ | ~~Guten~~

Guten Tag — Guten Morgen — Auf Wiedersehen
Guten Nacht — Gute Abend

_ / 4 PUNKTE

2 Was ist richtig? Kreuzen Sie an.

WÖRTER

■ Hallo, wer ☒ bist ○ kommst du?
▲ Ich ☒ bin ○ komme Max.
■ Und der ☒ Familienname ○ Vorname?
▲ Wachter.

■ ☒ Woher ○ Wie kommst du?
▲ ☒ Aus ○ Aus dem Österreich.
■ Und ○ was ☒ wie geht es dir?
▲ ○ Nein. ☒ Sehr gut!

_ / 6 PUNKTE

3 Ergänzen Sie die Verben in der richtigen Form.

STRUKTUREN

a ■ Wie *heißt* du? (heißen)
▲ Ich heiße Marie. (heißen)
■ Und woher kommst du? (kommen)
▲ Aus der Schweiz.

b ▲ Und wie heißen Sie? (heißen)
■ Juana Weinrich.
▲ Woher kommen Sie? (kommen)
■ Ich kommst aus Deutschland. (kommen)

c ▲ Wer bist du? (sein)
■ Ich bin Paco. (sein)

d ▲ Wer ist das? (sein)
■ Frau Delgado. Sie kommen aus Spanien. (kommen)

_ / 9 PUNKTE

4 Ergänzen Sie.

KOMMUNIKATION

a ■ *Hallo Susan, wie geht es dir?*
▲ Hallo Bob, Gut, danke.
Und wie geht dir? (du)
■ Ich ist ~~Super~~ Sehr Gut, danke.

b ■ Guten Morgen Herr Bux,
wie geht es Ihnen?
▲ ~~Ich ist~~ Nicht so gut.
Und wie gehtes Ihnen? (Sie)
■ Super! danke.

_ / 7 PUNKTE

5 Ordnen Sie und schreiben Sie Gespräche.

KOMMUNIKATION

Hallo, ich heiße Oborowski. | ~~Ich komme aus Italien, und du?~~ | ~~Ich heiße Johanna.~~ | Sind Sie Frau Rode? | ~~Aus der Türkei.~~ | Wie bitte? Obolanski? | Wie geht's? | Nein, mein Name ist Koch. | Sehr gut. Und dir? | ~~Ich bin Elisa, und du?~~

■ *Ich bin Elisa, und du?*
▲ *Ich heiße Johanna.*

■ Ich kommen aus Italien und du?
▲ Aus der Türkei
■
▲

■
▲
■
▲

_ / 8 PUNKTE

Wörter	Strukturen	Kommunikation
0–5 Punkte	0–4 Punkte	0–7 Punkte
6–7 Punkte	5–7 Punkte	8–12 Punkte
8–10 Punkte	8–9 Punkte	13–15 Punkte

www.hueber.de/menschen/lernen

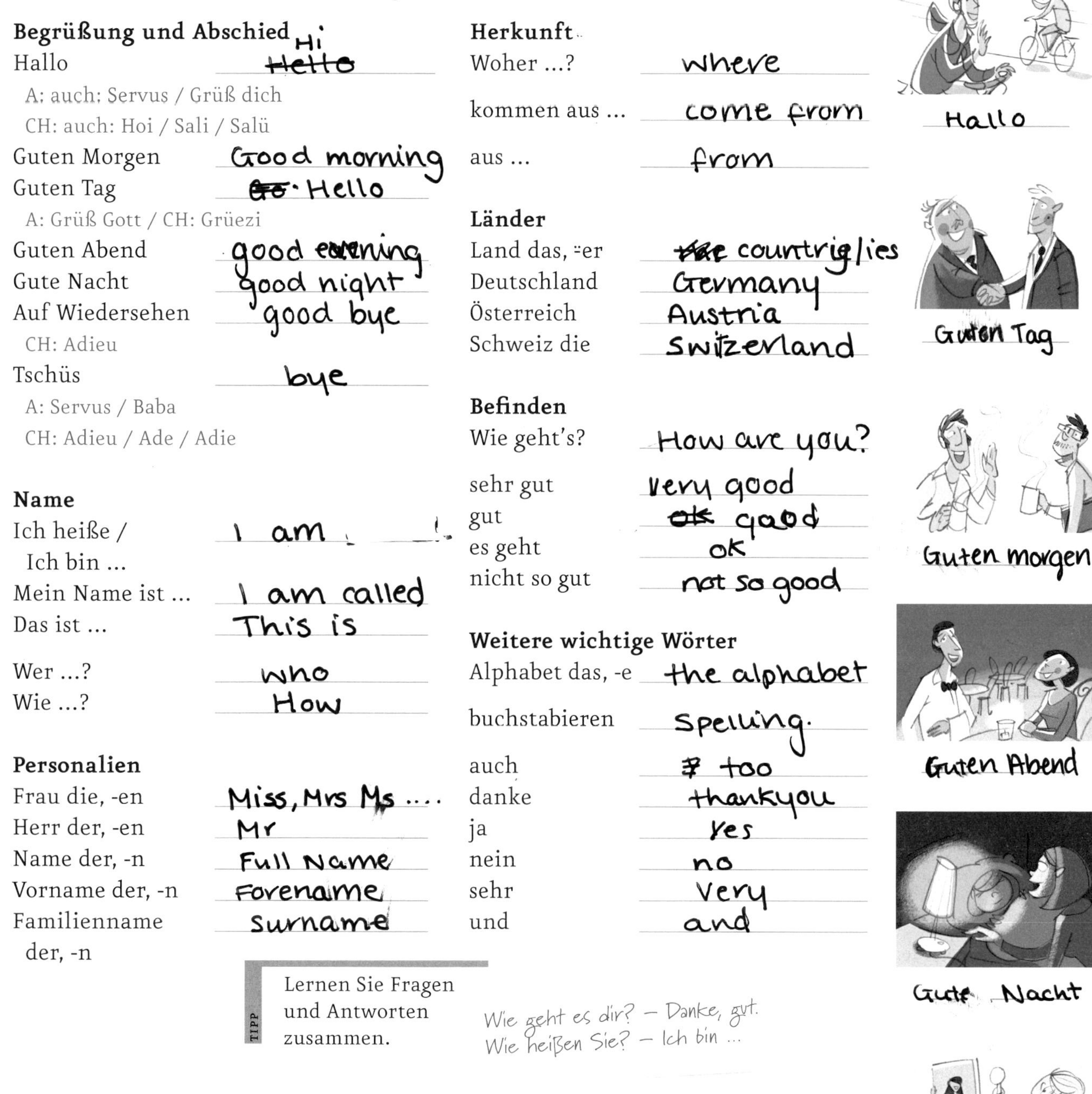

1 Wie heißen die Wörter in Ihrer Sprache? Übersetzen Sie.

Begrüßung und Abschied

Hallo	~~Hello~~ Hi
A: auch: Servus / Grüß dich	
CH: auch: Hoi / Sali / Salü	
Guten Morgen	Good morning
Guten Tag	~~Go~~ Hello
A: Grüß Gott / CH: Grüezi	
Guten Abend	good ~~evening~~
Gute Nacht	good night
Auf Wiedersehen	good bye
CH: Adieu	
Tschüs	bye
A: Servus / Baba	
CH: Adieu / Ade / Adie	

Name

Ich heiße / Ich bin …	I am
Mein Name ist …	I am called
Das ist …	This is
Wer …?	who
Wie …?	How

Personalien

Frau die, -en	Miss, Mrs Ms ….
Herr der, -en	Mr
Name der, -n	Full Name
Vorname der, -n	Forename
Familienname der, -n	Surname

Herkunft

Woher …?	where
kommen aus …	come from
aus …	from

Länder

Land das, ¨-er	~~the~~ countrie/ies
Deutschland	Germany
Österreich	Austria
Schweiz die	Switzerland

Befinden

Wie geht's?	How are you?
sehr gut	very good
gut	~~ok~~ good
es geht	ok
nicht so gut	not so good

Weitere wichtige Wörter

Alphabet das, -e	the alphabet
buchstabieren	Spelling.
auch	too
danke	thankyou
ja	yes
nein	no
sehr	very
und	and

TIPP: Lernen Sie Fragen und Antworten zusammen.

Wie geht es dir? – Danke, gut.
Wie heißen Sie? – Ich bin …

2 Welche Wörter möchten Sie noch lernen? Notieren Sie.

Ich bin Journalistin.

KB 2b **1 Berufe**

WÖRTER

a Ordnen Sie zu.

~~Architektin~~ | ~~Ärztin~~ | ~~Lehrer~~ | ~~Schauspieler~~ | ~~Sekretärin~~ | ~~Verkäufer~~

1 Architektin 2 Lehrer 3 Schauspieler 4 Verkäufer 5 Sekretärin 6 Ärztin

b Wie heißen die Berufe auf Deutsch und in Ihrer Sprache? Ergänzen und vergleichen Sie.

Deutsch	Englisch	Meine Sprache oder andere Sprachen
IT-Spezialist	IT specialist	
Journalistin	journalist	
Architektin	architect	
Student	student	
Sekretärin	secretary	

KB 2c **2 Ordnen Sie zu.**

STRUKTUREN

a Ich arbeite als — Siemens.
b Frau Stern arbeitet bei — eine Ausbildung als Mechatroniker bei Airbus.
c Katharina hat — einen Job als Kellnerin.
d Peter macht — Ingenieur von Beruf.
e Herr Wagner ist — Friseurin.

KB 2c **3 Ordnen Sie zu.**

WÖRTER

arbeite | habe | mache | ~~mache~~ | bin | bin

Was machst du beruflich?

a Ich mache eine Ausbildung als Krankenschwester.
b Ich ______ Schülerin.
c Ich ______ Historikerin von Beruf.
d Ich ______ ein Praktikum bei Vestas.
e Ich ______ als Journalistin.
f Ich ______ einen Job als Verkäufer.

KB 3a **4 Ordnen Sie zu.**

WÖRTER

~~geschieden~~ | ~~leben~~ | ~~Single~~ | ~~verheiratet~~ | ~~nicht verheiratet~~ | ~~zwei Kinder~~

a Stefan und Tanja sind verheiratet.
b Sie haben zwei Kinder.
c Maike und Martin sind geschieden.
d Maria ist Single.
e Tom und Klara sind nicht verheiatet, aber sie leben zusammen.

KB 3b | STRUKTUREN

5 Alles falsch. Was ist richtig?

Sandra und Stefan, Deutschland, Singles, leben zusammen, Sandra: Kellnerin, Stefan bei Sany

Das sind Sabine und Michael. Sie kommen aus Österreich. Sie sind verheiratet. Sie leben allein. Sabine arbeitet als Verkäuferin und Michael arbeitet bei Telespeak.

False Falsch	True Richtig
Das sind nicht Sabine und Michael.	Das sind Sandra und Stefan.
Sie kommen nicht aus Österreich	Sie kommen aus Deutschland

KB 3b | WÖRTER

6 Ordnen Sie zu.

ich | ~~er~~ | sie | wir | sie

KB 3b | STRUKTUREN

7 Was ist richtig? Kreuzen Sie an.

a Svenja und Torben sind verheiratet. [X] Sie [ ] Ich haben keine Kinder.
b Herr Peters lebt allein. [X] Er [ ] Sie ist geschieden.
c Melanie ist Single. [X] Sie [ ] Ich lebt allein.
d Ich habe zwei Kinder. [X] Sie [ ] Er heißen Finn und Mika.

KB 3d | STRUKTUREN ENTDECKEN

8 Ergänzen Sie und markieren Sie die Endungen.

(hacer) (fair)

	to make/do machen	life leben	to live wohnen	to work arbeiten	to have haben	to be sein
ich	mache	lebe	wohne	arbeite	habe	bin
du	machst	lebst	wohnst	arbeitest	hast	bist
er/sie	macht	lebt	wohnt	arbeitet	hat	ist
wir	machen	leben	wohnen	arbeiten	haben	sind.
ihr	macht	lebt	wohnt	arbeitet	habt	seid
sie/Sie	machen	leben	wohnen	arbeiten	haben	sind

KB 3d | STRUKTUREN

9 Ergänzen Sie die Verben in der richtigen Form.

a Was machst (machen) du beruflich?
b Ich bin (sein) Studentin und habe (haben) einen Job als Verkäuferin.
c Wo wohnt (wohnen) ihr?
d Wir wohnen (wohnen) in Dortmund.
e Wir ~~si~~ leben (leben) zusammen und haben (haben) ein Kind.
f Wer ~~sind~~ ist (sein) das? – Das ~~ist~~ sind (sein) Joachim und Philipp.
g Niklas und Felix arbeiten (arbeiten) bei Hansebek.

KB 4 WÖRTER

10 Markieren Sie und notieren Sie die Zahlen.

neunzehnfünfundachtzigzwanzigsechsunddreißigachtdrei/
siebenundsiebzigsechzehnneundreiundzwanzig

19, 85, 20, 37, 8, 3, 77, 16, 9, 23.

KB 4 ▶1 08 WÖRTER

11 Wie ist die Telefonnummer? Hören Sie und kreuzen Sie an.

a ◯ 030 / 52 79 91 36 ◯ 030 / 52 79 91 63
b ◯ 0171 / 85 67 03 25 ◯ 0171 / 58 67 02 25
c ◯ 06391 / 32 44 67 ◯ 06391 / 32 44 57
d ◯ 08233 / 25 38 57 ◯ 08233 / 52 36 59

KB 5 WÖRTER

12 Rechenaufgaben

a Lesen Sie laut und ergänzen Sie.

Fünfzehn und siebenunddreißig ist

a fünfzehn + siebenunddreißig = 15 + 37 = 42 = zwei und fearzig
b sechsundfünfzig + acht = 56 + 8 = 64 = fear und sechzig
c dreiunddreißig + neun = 33 + 9 = 42 = zwaiundfearzig
d fünfundzwanzig + siebenundsechzig = 25 + 67 = 92 = neunzig

● ● **b** Schreiben Sie eigene Aufgaben wie in **a** und tauschen Sie mit Ihrer Partnerin / Ihrem Partner.

KB 7 LESEN

13 Lesen Sie das Porträt und beantworten Sie die Fragen.

Ich heiße Marie Durant und komme aus Luxemburg. Momentan lebe ich in Heidelberg. Ich arbeite hier als Journalistin. Ich bin nicht verheiratet, aber ich lebe mit meinem Partner zusammen. Er heißt Steven und ist zurzeit arbeitslos. Wir haben ein Kind. Julie ist jetzt schon 3 Jahre alt.

a Was ist Marie Durant von Beruf? Journalistin
b Was macht Steven beruflich? arbeitslos.
c Sind Marie und Steven verheiratet? Nein, sie ist nicht verheiratet
d Marie und Steven haben zwei Kinder. Nein, Marie und steven haben eine Kind.
e Wo wohnen Marie und Steven? Sie lebe in Heidelberg.
f Wie alt ist Julie? 3 Jahre alt.

TRAINING: LESEN

1 Angaben zur Person. Was passt zusammen? Verbinden Sie.

Was studieren Sie?	Alter –
Sind Sie verheiratet?	Herkunft – Nationality
Wie alt sind Sie?	Ausbildung – education
Was machen Sie beruflich?	Familienstand –
Wie heißen Sie?	Name –
Woher kommen Sie?	Beruf –

2 Lesen Sie die Texte und ergänzen Sie die Steckbriefe.

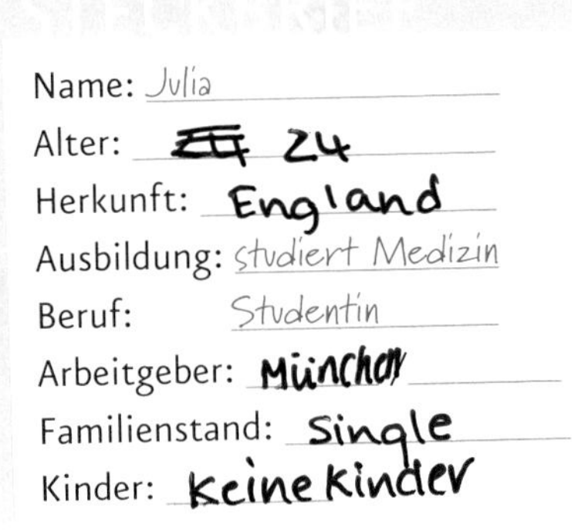

Name: Julia
Alter: 24
Herkunft: England
Ausbildung: studiert Medizin
Beruf: Studentin
Arbeitgeber: München
Familienstand: single
Kinder: keine Kinder

STECKBRIEF

Name: Frank
Alter: 28
Herkunft: Österreich
Ausbildung: Studium
Beruf: Ingenieur
Arbeitgeber: München
Familienstand: verheiratet
Kinder: keine

TIPP
Lesen Sie zuerst die Aufgabe genau. Markieren Sie dann die wichtigen Stellen im Text.

1 Das ist Julia. Sie ist 24 Jahre alt und studiert Medizin an der Universität in München. Aber sie kommt aus England. Julia ist mit Frank verheiratet. Sie haben keine Kinder.

2 Frank ist 28 Jahre alt und kommt aus Österreich. Er ist mit Julia verheiratet und arbeitet als Ingenieur bei BMW. Jetzt lebt er schon zwei Jahre in München.

TRAINING: AUSSPRACHE *Wortakzent*

▶ 1 09 **1 Welche Silbe ist betont? Hören Sie und markieren Sie den Wortakzent.**

Student – Journalist – Ingenieur – Schauspieler – Arzt – Lehrer – Verkäufer – Kellner – Friseur – Schüler – Krankenschwester

2 Ordnen Sie die Wörter aus 1 zu und kreuzen Sie dann an: Was ist richtig?

Silbe 1 ＿ ＿ ＿	Silbe 2 ＿ ＿ ＿	letzte Silbe ＿ ＿
Arzt		Student

REGEL
Der Wortakzent ist
- ○ immer auf Silbe 2.
- ○ flexibel. Den richtigen Wortakzent findet man im Wörterbuch.

▶ 1 10 **3 Hören Sie die Berufe aus 1 noch einmal und sprechen Sie nach.**
Achten Sie auf den Wortakzent.

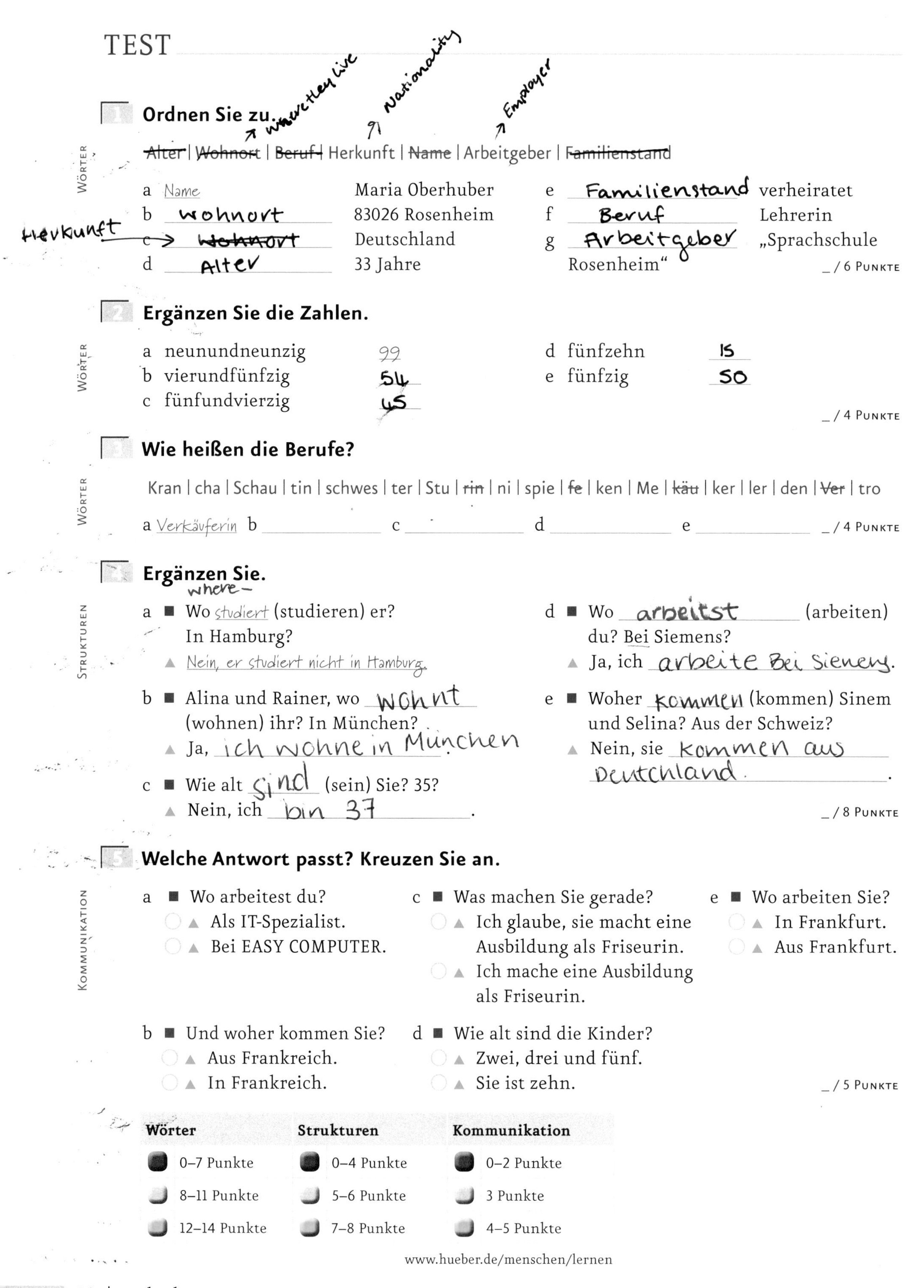

TEST

1 Ordnen Sie zu.

WÖRTER

Alter | Wohnort | Beruf | Herkunft | Name | Arbeitgeber | Familienstand

a Name ______ Maria Oberhuber
b ______ 83026 Rosenheim
c ______ Deutschland
d ______ 33 Jahre
e ______ verheiratet
f ______ Lehrerin
g ______ „Sprachschule Rosenheim"

_ / 6 PUNKTE

2 Ergänzen Sie die Zahlen.

WÖRTER

a neunundneunzig 99
b vierundfünfzig ______
c fünfundvierzig ______
d fünfzehn ______
e fünfzig ______

_ / 4 PUNKTE

3 Wie heißen die Berufe?

WÖRTER

Kran | cha | Schau | tin | schwes | ter | Stu | rin | ni | spie | fe | ken | Me | käu | ker | ler | den | Ver | tro

a Verkäuferin b ______ c ______ d ______ e ______

_ / 4 PUNKTE

4 Ergänzen Sie.

STRUKTUREN

a ■ Wo studiert (studieren) er? In Hamburg?
▲ Nein, er studiert nicht in Hamburg.

b ■ Alina und Rainer, wo ______ (wohnen) ihr? In München?
▲ Ja, ______.

c ■ Wie alt ______ (sein) Sie? 35?
▲ Nein, ich ______.

d ■ Wo ______ (arbeiten) du? Bei Siemens?
▲ Ja, ich ______.

e ■ Woher ______ (kommen) Sinem und Selina? Aus der Schweiz?
▲ Nein, sie ______.

_ / 8 PUNKTE

5 Welche Antwort passt? Kreuzen Sie an.

KOMMUNIKATION

a ■ Wo arbeitest du?
○ ▲ Als IT-Spezialist.
○ ▲ Bei EASY COMPUTER.

b ■ Und woher kommen Sie?
○ ▲ Aus Frankreich.
○ ▲ In Frankreich.

c ■ Was machen Sie gerade?
○ ▲ Ich glaube, sie macht eine Ausbildung als Friseurin.
○ ▲ Ich mache eine Ausbildung als Friseurin.

d ■ Wie alt sind die Kinder?
○ ▲ Zwei, drei und fünf.
○ ▲ Sie ist zehn.

e ■ Wo arbeiten Sie?
○ ▲ In Frankfurt.
○ ▲ Aus Frankfurt.

_ / 5 PUNKTE

Wörter	Strukturen	Kommunikation
0–7 Punkte	0–4 Punkte	0–2 Punkte
8–11 Punkte	5–6 Punkte	3 Punkte
12–14 Punkte	7–8 Punkte	4–5 Punkte

www.hueber.de/menschen/lernen

1 Wie heißen die Wörter in Ihrer Sprache? Übersetzen Sie.

Arbeit und Ausbildung

Arbeitgeber der, -	I work as/I study
Ausbildung die, -en	...
Beruf der, -e	job in
Hochschule die, -n / Universität die, -en	the university of .
Job der, -s	job of
Praktikum das, Praktika	internship as...
Schule die, -n	the school of
Stelle die, -n	location
arbeiten als/bei ...	work as/in
studieren	study
arbeitslos	
von Beruf	your job
Was ...?	as

Berufe

Architekt der, -en	Arcitect
Arzt der, ¨-e	Doctor
Friseur der, -e CH: Coiffeur der, -e / Coiffeuse die, -n	hairdresser
Ingenieur der, -e	engineer
Journalist der, -en	journalist
Kellner der, -	waiter/waitress
Krankenschwester die, -n	Nurse
Lehrer der, -	Teacher
Mechatroniker der, -	Mechanic
Student der, -en	student
Schauspieler der, -	Actor,
Schüler der, -	Student
Sekretär der, -e	secretary
Verkäufer der, -	sales person

Persönliches

Alter das	Age
Familienstand der CH: Zivilstand der	marital status
Jahr das, -e	years
... Jahre alt sein	...years old
Kind das, -er	children
leben	live
allein leben	live alone
zusammenleben	living together
wohnen in	live in
geschieden	divorced
verheiratet	married
in	in
Wo ...?	where

Weitere wichtige Wörter

glauben	believe
haben	have
machen	make/do
richtig	right
falsch	wrong
super	super
aber	but
kein-	none/no
nicht	no.

TIPP Schreiben Sie neue Wörter und Beispielsätze auf Kärtchen.

leben
Wir leben in Malaga.

arbeiten
Ich arbeite nicht.

Ingenier

Mechatroniker

Schauspieler

Student

journalistin

Friseurin

Architektin

Sekretärin

Ärztin

Lehrer

Verkäufer

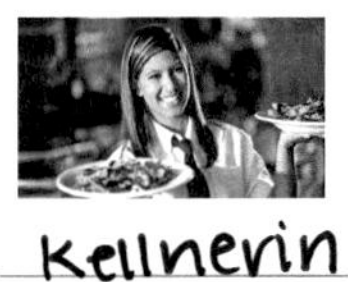

Kellnerin

2 Welche Wörter möchten Sie noch lernen? Notieren Sie.

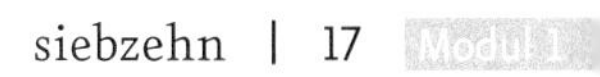

Das ist meine Mutter.

KB 3 **1** **Was passt? Kreuzen Sie an.**

STRUKTUREN

a Ist das ☒ dein ○ deine Vater?
b Ja, das ist ☒ mein ○ meine Vater.
c Und das? Ist das ○ dein ☒ deine Oma?
d Nein, das ist nicht ○ mein ☒ meine Oma.
Das ist ○ mein ☒ meine Mutter.
e Das hier ist ○ mein ☒ meine Oma.
f Und das ist ☒ mein ○ meine Opa.

KB 4 **2** **Ordnen Sie zu.**

STRUKTUREN

~~Bist du verheiratet?~~ | Wer ist das? | Ist das dein Mann? | Das sind meine Eltern. | Wie heißt deine Schwester? | Ist deine Schwester verheiratet? | ~~Mein Opa lebt in Spanien.~~ | Meine Schwester hat zwei Kinder. | Was ist deine Mutter von Beruf? | Hast du Kinder?

Ja/Nein-Fragen
Bist du verheiratet?

W-Fragen/Aussagen
Mein Opa lebt in Spanien.

KB 4 **3** **Schreiben Sie Sätze.**

STRUKTUREN

a wer / das / ist *Wer ist das?*
b das / Frau / ist / deine Das ist deine Frau ?
c das / nein / Schwester / ist / meine nein, das ist meine Schwester .
d verheiratet / du / bist du bist verheiratet ?
e geschieden / nicht / bin / ich nicht, ich bin geschieden .

KB 4 **4** **Aussagen und Fragen**
Machen Sie Übungen wie in 3. Ihre Partnerin / Ihr Partner schreibt Sätze.

KB 5 **5** **Kreuzen Sie an.**

KOMMUNIKATION

	☺	☹
a Ist Lisa geschieden?	☒ Ja.	○ Nein.
b Sind das deine Kinder?	○ Ja.	☒ Nein.
c Vroni ist nicht verheiratet.	○ Doch.	☒ Nein.
d Roberto kommt nicht aus Spanien.	☒ Doch.	○ Nein.

KB 5 **6** **Ergänzen Sie *ja*, *nein* oder *doch*.**

KOMMUNIKATION

a Ist deine Schwester verheiratet? *Ja*, meine Schwester ist verheiratet.
b Leben deine Eltern in Kiel? Nein, meine Eltern leben nicht in Kiel.
c Du studierst nicht, oder? Nein, ich studiere Physik.
d Deine Schwester ist auch Schauspielerin, oder? Doch, sie ist auch Schauspielerin.
e Deine Frau heißt nicht Sandra, oder? Doch, sie heißt Sandra.

KB 6 **7** **Ordnen Sie zu.**

WÖRTER

Schwester | Vater | Sohn | Opa | Enkelin | (Ehe-)Frau | Großvater

♂	♀	♂	♀
Sohn	Tochter	(Ehe-)Mann	(Ehe-) Frau
Bruder	Schwester	Enkel	Enkelin
Vatter	Mutter	Opa	Oma
		Großvatter	Großmutter

KB 6 **8** **Silbenrätsel. Ergänzen Sie.**

WÖRTER

der | el | el | groß | kin | schwes | tern | tern | tern

a 

b 

c 

d 

a Meine Kinder auf Sylt.
b Meine eltern in den Alpen.
c Meine großeltern bei der goldenen Hochzeit.
d Ich und meine Schwestern in Paris.

KB 6 **9** **Ordnen Sie zu.**

STRUKTUREN

dein | deine | mein | mein | mein | meine | meine

■ Sind das deine (a) Kinder auf dem Bild?
▲ Ja, das sind meine (b) Kinder. Das hier ist meine (c) Tochter Leonie und das hier ist mein (d) Sohn Torben. Und hier ist mein (e) Bruder.
■ Was macht dein (f) Bruder? (macht = do)
▲ Mein (g) Bruder lebt in Berlin und arbeitet als IT-Spezialist.

KB 7 **10** **Familienrätsel. Ergänzen Sie und beantworten Sie die Fragen.**

STRUKTUREN

Meine Schwester heißt Jeanette. Sie studiert Physik in Berlin. Meine Eltern leben in Konstanz. Mein Vater Georg arbeitet als Journalist und Meine Mutter ist Lehrerin, genau wie mein Opa. Meine Oma Karen arbeitet nicht mehr, sie ist Rentnerin. Meine Großeltern leben in Österreich. Genau wie ich.

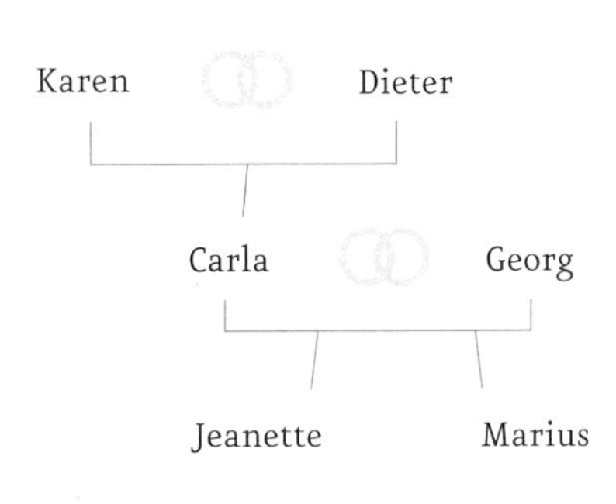

a Wie heiße ich? Marius
b Wie heißt meine Mutter? Carla
c Wie heißt mein Opa? Dieter

BASISTRAINING

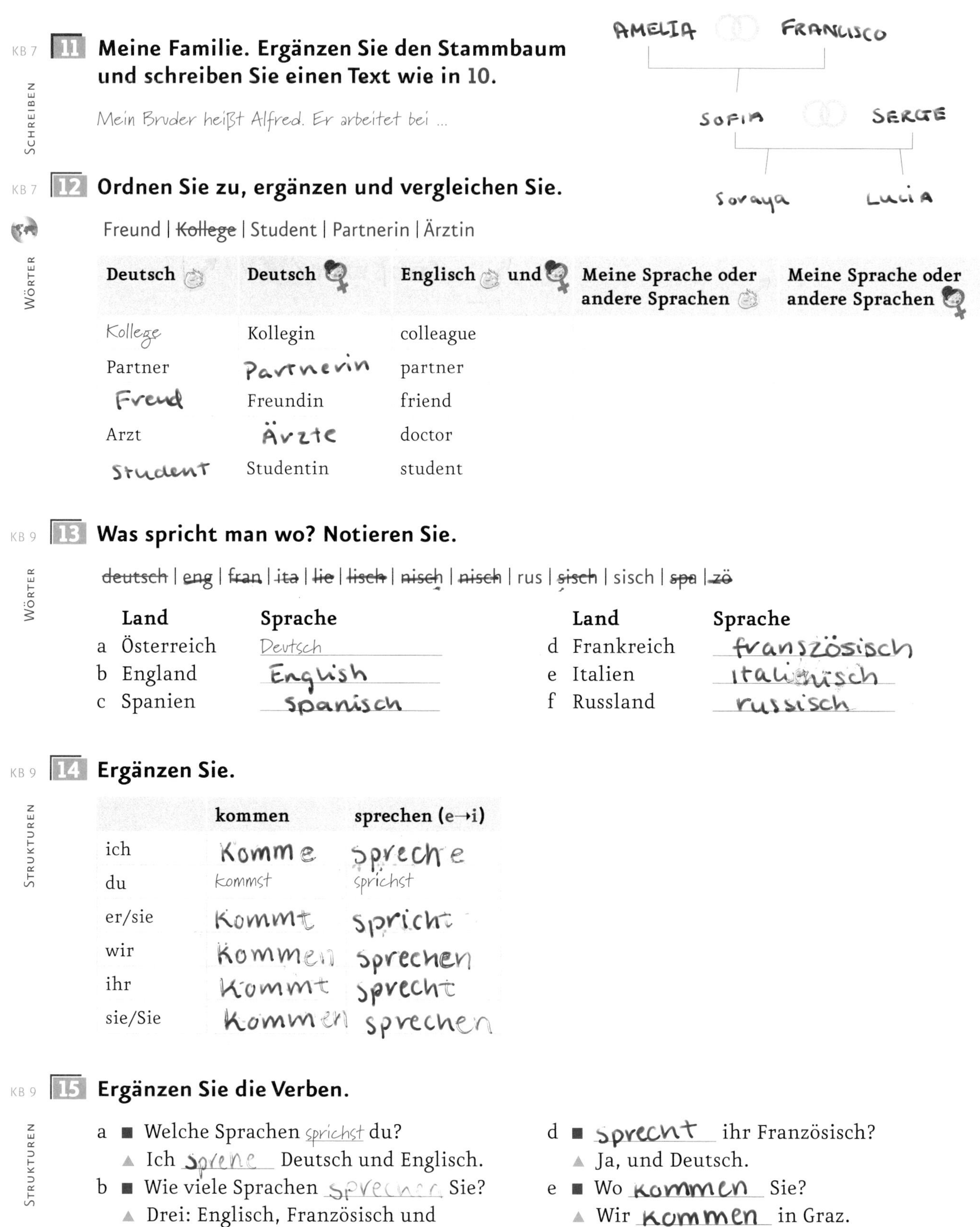

KB 7 **11** **Meine Familie. Ergänzen Sie den Stammbaum und schreiben Sie einen Text wie in 10.**

SCHREIBEN

Mein Bruder heißt Alfred. Er arbeitet bei ...

KB 7 **12** **Ordnen Sie zu, ergänzen und vergleichen Sie.**

WÖRTER

Freund | ~~Kollege~~ | Student | Partnerin | Ärztin

Deutsch ♂	Deutsch ♀	Englisch ♂ und ♀	Meine Sprache oder andere Sprachen ♂	Meine Sprache oder andere Sprachen ♀
Kollege	Kollegin	colleague		
Partner	Partnerin	partner		
Freund	Freundin	friend		
Arzt	Ärzte	doctor		
Student	Studentin	student		

KB 9 **13** **Was spricht man wo? Notieren Sie.**

WÖRTER

~~deutsch~~ | ~~eng~~ | ~~fran~~ | ~~ita~~ | ~~lie~~ | ~~lisch~~ | ~~nisch~~ | ~~nisch~~ | rus | ~~sisch~~ | sisch | ~~spa~~ | ~~zö~~

	Land	Sprache
a	Österreich	*Deutsch*
b	England	English
c	Spanien	spanisch
d	Frankreich	französisch
e	Italien	italienisch
f	Russland	russisch

KB 9 **14** **Ergänzen Sie.**

STRUKTUREN

	kommen	sprechen (e→i)
ich	Komme	spreche
du	*kommst*	*sprichst*
er/sie	Kommt	spricht
wir	Kommen	sprechen
ihr	Kommt	sprecht
sie/Sie	Kommen	sprechen

KB 9 **15** **Ergänzen Sie die Verben.**

STRUKTUREN

a ■ Welche Sprachen *sprichst* du?
▲ Ich sprene Deutsch und Englisch.

b ■ Wie viele Sprachen sprechen Sie?
▲ Drei: Englisch, Französisch und Spanisch.

c ■ Woher kommt ihr?
▲ Wir kommen aus der Schweiz.

d ■ sprecht ihr Französisch?
▲ Ja, und Deutsch.

e ■ Wo kommen Sie?
▲ Wir kommen in Graz.

f ■ Haben Sie Kinder?
▲ Ja, wir hast zwei Kinder.

g ■ Das ist meine Kinder.
Sie Namen Tim und Tomma.

TRAINING: SPRECHEN

1 Sich vorstellen

a Welche Sätze passen zu den Fragen an der Tafel? Markieren Sie.

Ich heiße ...
Ich arbeite bei ...
Meine Telefonnummer ist ...
Ich spreche ...
Ich bin ... Jahre alt.
Ich bin verheiratet.
Ich bin ... von Beruf.
Ich studiere in ...
Ich habe zwei Kinder.
Ich wohne in ...
Ich komme aus ...

b Das bin ich! Notieren Sie mindestens fünf Sätze.

Ich heiße Julia.
Ich komme aus ... und ich wohne in ...

TIPP
Lernen Sie Sätze zu Ihrer Person auswendig. Sie helfen beim Small Talk.

TRAINING: AUSSPRACHE *Satzmelodie bei Fragen*

▶ 1 11

1 Was hören Sie? Ergänzen Sie die Satzmelodie: ↘ oder ↗.

Wer ist das? ↘
Ist das deine Frau? ↗
Bist du verheiratet? ___
Wie heißt deine Frau? ___
Heißt deine Frau Steffi? ___
Was ist sie von Beruf? ___

2 Ergänzen Sie die Regel.

REGEL

↗ | ↘

Bei W-Fragen (Wer? Wie? Was? ...) geht die Satzmelodie nach unten: ___
Bei Ja-/Nein-Fragen geht die Satzmelodie nach oben: ___

▶ 1 12

3 Ergänzen Sie die Satzmelodie (↘, ↗). Hören Sie dann und vergleichen Sie.

■ Das ist deine Freundin, ↘ oder? ↗
▲ Nein. ___ Das ist nicht meine Freundin. ___ Das ist meine Schwester. ___
■ Wohnt sie auch in Deutschland? ___
▲ Nein. ___ Sie wohnt in Polen. ___
■ Aha. ___ Aber sie spricht Deutsch, ___ oder? ___
▲ Sie spricht Polnisch, Deutsch und Englisch. ___
■ Ist sie verheiratet? ___
▲ Nein. ___ Sie ist nicht verheiratet.

▶ 1 13 Hören Sie noch einmal und sprechen Sie nach.

TEST

1 Familie. Ergänzen Sie.

WÖRTER

Eltern: ✓ Vater und mutter ✓
Geschwister: ✓ Bruder und Schwester
Kinder: Sohn und Dochter
Großeltern Oma / Opa und Großmutter / Großvatter
Enkelkinder: Enkel und Enkelin

_ / 7 PUNKTE

2 Schreiben Sie die Fragen.

STRUKTUREN

a Thea / ist / deine Tochter *Ist Thea deine Tochter?*
b sprechen / welche Sprachen / deine Kinder welche Sprachen sprechen deine kinder ?
c ist / dein / Vater / das ist das dein vatter ?
d verheiratet / bist / du ~~bin~~ bist du verheiratet ?
e wo / du / wohnst wo wohnst du ? _ / 4 PUNKTE

3 Beantworten Sie die Fragen aus Aufgabe 2.

STRUKTUREN

a *Ja, Thea ist meine Tochter.*
b Meine kinder sprechen Französisch, Englisch und Deutsch.
c Ja, das ist mein vatter.
d Nein, ich bin single.
e Ich wohnne in Stuttgart.

_ / 4 PUNKTE

4 Ergänzen Sie *mein-/dein-*.

STRUKTUREN

Hallo Edvardo,
wie geht's? Ich bin jetzt in Deutschland, in Bremen. Hier wohnt mein *Bruder.*
Ich mache hier ein Praktikum. Deine *Kollegen sind super. Wie geht es Dir?*
Was machen deine *Frau und* dein *Sohn?*
Tschüs, Anna

_ / 4 PUNKTE

5 *Ja, nein* oder *doch?* Schreiben Sie die Antworten.

KOMMUNIKATION

a Hannah ist nicht deine Tochter, oder? + *Doch, Hannah ist meine Tochter.*
b Sprichst du Spanisch? + Ja, ich spreche Spanisch
c Du bist nicht verheiratet, oder? – Nein, ich bin single
d Ist Frau Duate deine Lehrerin? – Nein, meine Frau ist keine lehrerin*
e Du arbeitest nicht in Österreich, oder? + Doch, ich arbeite in Österreich.

*Sie ist eine Ärtze

_ / 4 PUNKTE

Wörter	Strukturen	Kommunikation
0–3 Punkte	0–6 Punkte	0–2 Punkte
4–5 Punkte	7–9 Punkte	3 Punkte
6–7 Punkte	10–12 Punkte	4 Punkte

www.hueber.de/menschen/lernen

LERNWORTSCHATZ

1 Wie heißen die Wörter in Ihrer Sprache? Übersetzen Sie.

Familie

Familie die, -n	Family
Vater der, ¨	Father
Mutter die, ¨	Moter
Eltern (Pl)	Parents
Sohn der, ¨e	son
Tochter die, ¨	daughter
Großvater der, ¨ / Opa der, -s	Grandfather
Großmutter die, ¨ / Oma die, -s	Grandmoter
Großeltern (Pl)	Grandparents
Enkelin die, -nen	Grandchil (f)
Enkel der, -	Grandson (M)
Bruder der, ¨	brother
Schwester die, -n	sister
Geschwister (Pl)	siblings
(Ehe)Mann der, ¨er	husband
(Ehe)Frau die, -en	wife

TIPP
Notieren Sie Verben mit Vokalwechsel so:

ich spreche
du sprichst
sie/er spricht

Sprachen

Sprache die, -n	to speak
sprechen, du sprichst, er spricht	
Deutsch	German
Welche ...?	what ... ?
Wie viele ...?	How many ... ?

Weitere wichtige Wörter

Bild das, -er	the picture
Freund der, -e	Friend
Kollege der, -n	collegue
Partner der, -	Partner
ja	yes
nein	no
doch	but
ein bisschen	a little bit
bitte	Your wellcome
genau	I agree
mein	my
dein	your

Vater
Mutter
Eltern
Sohn
Tochter
Broder Schwester
Geschwister
Großvater / opa
Großmutter / om
Großeltern
Enkelin Enkel
Mann Frau

2 Welche Wörter möchten Sie noch lernen? Notieren Sie.

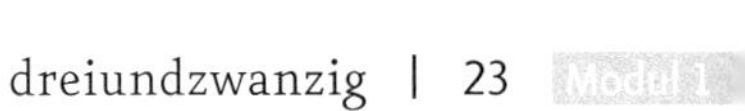

WIEDERHOLUNGSSTATION: WORTSCHATZ

1 Sich begrüßen und sich verabschieden? Ergänzen Sie.

Begrüßung
a Hallo
b Guten Tag
c Guten Morgen
d Guten Abend

Abschied
e Gute Nacht
f Auf Wiedersehne
g Tschüs

2 Ruths Familie

a Sehen Sie den Stammbaum an und ergänzen Sie.

1 Peter: Justus ist mein Sohn.
2 Jakob: Franz und Marianne sind meine Großeltern
3 Marianne: Ruth ist meine Enkelin.
4 Peter: Marianne ist meine Mutter.
5 Ruth: Franz ist mein Großvater/Opa.
6 Katharina: Mein Frau heißt Peter.

Franz

Marianne

Katharina

Peter

Ruth Justus Jakob

b Was machen Jakob, Justus und Ruth? Ordnen Sie zu.

~~geschieden~~ | ~~Geschwister~~ | ~~Jahre alt~~ | ~~wohne~~ | ~~Ausbildung~~ | ~~arbeite~~ | ~~habe~~ | von Beruf

1 Ich bin 19 Jahre alt (a) und mache eine Ausbildung (b).

2 Ich bin 23 und wohne (c) in Köln. Ich bin verheiratet. Ich von Beruf (d) als Journalist.

3 Ich habe (e) zwei Geschwister (f). Ich bin 26 Jahre alt, geschieden (g) und Sekretärin arbeite (h).

3 Berufe. Lösen Sie das Rätsel.

Lösungswort:

a KELLNER
b MECHATRONIKER
c SCHAUSPIELERIN
d VERKAUFER
e FRISEUR
f KRANKENSCHWESTER

WIEDERHOLUNGSSTATION: GRAMMATIK

1 Schreiben Sie Gespräche.

a ■ Ist Sergio Ingenieur? (Sergio – ist – Ingenieur)
▲ Ja, Er arbeitet bei Siemens. (arbeitet – er – Siemens – bei)

b ■ Woher kommt er? (er – kommt – woher)
▲ Aus Mexiko.

c ■ wo wohnt er? (wohnt – wo – er)
▲ In Berlin.

d ■ wie viele Geschwister hat er? (Geschwister – er – wie viele – hat)
▲ Er hat eine Schwester. (eine Schwester – hat – er)

e ■ welche Sprachen er spricht (Sprachen – spricht – welche – er)
▲ Spanisch und Deutsch.

2 Mein Name ist ...

a Suchen Sie noch 9 Verben.

H	S	M	H	E	D	S	W	I
R	A	L	A	S	J	P	O	B
M	V	E	B	E	O	R	H	H
A	R	B	E	I	T	E	N	E
C	H	E	N	N	K	C	E	I
H	U	N	C	M	O	H	N	S
E	I	C	F	P	M	E	A	S
N	A	B	I	G	M	N	I	E
S	T	U	D	I	E	R	E	N
P	R	A	T	R	N	U	L	G

ß = ss

b Ergänzen Sie die Verben aus a in der richtigen Form.

■ Hallo, mein Name ist Lena und wie heiße du?
▲ Hallo Lena, ich bin Jorgo, und das ist mein Bruder Wassili.
■ Woher kommt ihr?
▲ Aus Griechenland.
■ Und was kommt ihr hier in Österreich?
▲ Ich studert an der Universität in Wien und Wassili arbeitet als Programmierer. Und du?
■ Ich wohn in Hamburg und habe einen Job als Kellnerin. Wie viele Jahre wohnst du schon in Österreich?
▲ Zwei Jahre.
■ Was! Nur zwei Jahre? Du sprichst sehr gut Deutsch!
▲ Danke!

3 Lesen Sie die Informationen zu Isabel und schreiben Sie Sätze mit *nicht*.

Name: Isabel
Adresse: Veilchenweg 37, Oberhausen
Familienstand: Single
Beruf: Sekretärin
Herkunft: Schweiz

a Köln wohnen: Isabel wohnt nicht in Köln.
b als Krankenschwester arbeiten: SEKRETÄRIN
c verheiratet sein: Nein Isabel ist Single.
d aus Österreich kommen: Nein, sie kommst aus Schweiz

4 Was ist richtig? Markieren Sie.

Das ist Ferdinand. Er ist mein/meine Kollege/Kollegin. Er ist auch Journalist/Journalistin von Beruf. Wir arbeiten/arbeite jetzt als/bei MEDIA.COM in Hamburg. Ferdinand wohne/wohnt allein, aber er hast/hat viele Freunde.

Das ist mein/meine Chef/Chefin. Sie heiße/heißt Elena Goldoni. Sie kommt in/aus Italien. Aber sie lebt/lebst schon vierzig Jahre bei/in Deutschland. Sie spreche/spricht perfekt Deutsch und Italienisch.

SELBSTEINSCHÄTZUNG Das kann ich!

Ich kann jetzt ...

... andere begrüßen und mich verabschieden: L01

Hallo/Guten Tag/Guten Morgen / Guten Aben / Gute Nacht

... mich und andere vorstellen: L01/L02/L03

Ich heiße Lucia. Ich komme aus Großbretagne und ich wohne aus Edinburgh. Ich spreche English und Spanisch

... nach dem Befinden fragen und über mein Befinden sprechen: L01

du: ■ Wie sprechen's sprache du? ▲ Danke, ______. ☺ Und ______?

Sie: ● ______?

■ ______. ☹ Und ______?

... nachfragen und buchstabieren: L01

■ Mein Name ist Chanya Ndiaye.

▲ ______?

■ Ich ______: C-H-A-N- ...

... nach dem Beruf fragen und über meinen Beruf sprechen: L02

■ Was bist du von ______? ▲ Ich ______.

... über Persönliches sprechen: L02

Familienstand: Ich bin ______.

Kinder: Ich ______.

Alter: Ich ______.

... meine Familie beschreiben: L03

Das ist/sind ______.

______ kommt aus ______ und wohnt in ______.

Ich kenne ...

... 5 Länder und Sprachen: L01/L03

______

______

... 5 Berufe: L02

______

______

... die Zahlen bis 100: L02

10 zehn	17 siebzehn	23 ______	38 ______
40 ______	50 ______	60 ______	70 ______
80 ______	90 ______	100 ______	

... 10 Familienmitglieder: L03

______

______

SELBSTEINSCHÄTZUNG Das kann ich!

Ich kann auch ...

... W-Fragen stellen und auf Fragen antworten: L01/L02/L03

■ ______ heißt ihr? ▲ ______ Sandra und Simone.
■ ______ kommen Madita und Mia? ▲ ______ aus Schweden.
■ ______ sprichst du? ▲ ______ Spanisch und Englisch.
■ ______ wohnen Sie? ▲ ______ in Madrid.
■ ______ ist das? ▲ ______ ist Pedro.

... Aussagen verneinen (Negation): L02

Markus wohnt ______ in Köln und ist ______ verheiratet.

Markus: Stuttgart
Familienstand: Single

... nach Familienmitgliedern fragen und sie benennen (Possessivartikel): L03

▲ Sind das deine Eltern? ■ Ja, das sind ______ Eltern. Das ist ______ Mutter und das ist ______ Vater.

... Ja-/Nein-Fragen stellen und mit *ja/nein/doch* antworten: L03

■ ______ das deine Eltern?
☺ ▲ ______. ☹ ▲ ______.
■ ______ dein Bruder nicht verheiratet?
☺ ▲ ______. ☹ ▲ ______.

Üben / Wiederholen möchte ich noch ...

______

RÜCKBLICK

Wählen Sie eine Aufgabe zu Lektion 1

1 Wer ist das? Sehen Sie im Kursbuch auf den Seiten 9 und 10 nach und schreiben Sie.

Das ist ....
Sie kommt aus ....

Das ______.
Er ______.

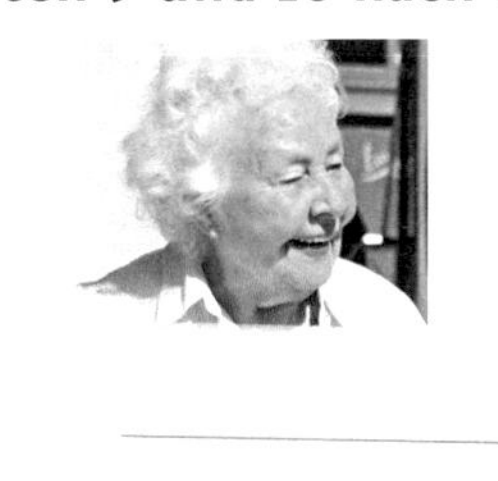

2 Suchen Sie Fotos. Wer ist das? Stellen Sie die Personen vor.

Das ist Mesut Özil. Er kommt aus Deutschland.

RÜCKBLICK

Wählen Sie eine Aufgabe zu Lektion 2

1 Was ist richtig? Kreuzen Sie an und vergleichen Sie mit dem Kursbuch auf Seite 78.

	Helga Stiemer	Carlos	Sonja	Bo Martinson
a Sie arbeiten nicht.	X	X		
b Sie sind nicht verheiratet.				
c Sie kommen nicht aus Deutschland.				
d Er hat keine Kinder.				
e Er wohnt in Essen.				
f Sie wohnt in Leipzig.				

2 Wählen Sie eine Kursteilnehmerin / einen Kursteilnehmer oder einen Prominenten. Ergänzen Sie den Steckbrief und schreiben Sie einen Text.

Vorname:
Familienname:
Herkunft:
Wohnort:
Beruf:
Alter:
Familienstand:
Kinder:

Das ist ...
... kommt aus ....
...

Wählen Sie eine Aufgabe zu Lektion 3

1 Lesen Sie den Stammbaum im Kursbuch auf Seite 19. Was sagt Olga?

„Ich bin Olga. Das ist mein Mann. Er heißt ____________.

Ich habe zwei ____________.

Meine Tochter ____________ und mein ____________."

2 Ihre Familie. Was sagt Ihre Mutter / Ihr Bruder ...? Schreiben Sie.

Ich heiße ...
Das ist mein/meine ...
Sie/Er ...

LITERATUR

PAUL UND HERR ROSSMANN MACHEN FERIEN

Teil 1: Ich heiße Paul.

Paul ist mit seinem Hund[1] im Englischen Garten in München.
Anja ist auch da. Sie füttert die Enten[2].
Pauls Hund bellt[3].
Die Enten fliegen weg.
„He! Hallo! Was machst du da?", sagt Anja.
„Ich mache nichts."
„Aber dein Hund!"
„Herr Rossmann."
„Was? Welcher Herr?"
„Herr Rossmann."
„Nein, dein Hund", sagt Anja.
„Aber so heißt mein Hund: Herr Rossmann."
„Ach was ..."
„Wie heißt du?", fragt Paul.
„Anja."
„Kommst du aus München?"
„Ja, ich wohne hier."
„Ich komme nicht aus München", sagt Paul.
„Nicht? Woher kommst du?"
„Aus Österreich. Ich wohne in Wien. Ich mache Ferien in München."
„Ach, Ferien, das ist toll!", sagt Anja.
Herr Rossmann bellt.

„Ja, du machst auch Ferien, Herr Rossmann, ich weiß", sagt Paul.
„Und wie heißt du?"
„Ich heiße Paul."
„Was machst du in Wien?", fragt Anja.
„Ich bin Journalist."
„Wo arbeitest du?"
„Ich bin bei der Zeitung ‚Der Standard'."
„Aha. Ich bin Schauspielerin."
„Wow, das klingt super!"
Paul setzt sich zu Anja.
Sie füttern gemeinsam die Enten.
Herr Rossmann bellt.
„Nicht bellen, Herr Rossmann!", sagt Paul.
Herr Rossmann bellt.
„Jetzt sind die Enten weg!"
„Herr Rossmann, so geht das nicht!", sagt Paul.
Herr Rossmann bellt.
„Komm, Herr Rossmann, wir gehen! Ciao, Anja."
„Tschüs, Paul."
Sie gehen weg.
„Was denkst du, Herr Rossmann?", fragt Paul.
„Sehen wir Anja wieder?"
Herr Rossmann bellt.

1 : Hund der, -e

2 : Ente die, -n

3 WUFF : bellen

Der Tisch ist schön!

KB 3 **1** **Ergänzen Sie das Gespräch.**

KOMMUNIKATION

Er ist wirklich schön, aber sehr teuer. | Nur 55 Euro! Das ist aber günstig! | Und wie viel kostet der Stuhl? | Was kostet denn das Bild? | ~~Ja, bitte.~~

- ■ Guten Tag, brauchen Sie Hilfe?
- a ▲ Ja, bitte. Was kostet denn das Bild?
- ■ 55 Euro!
- b ▲ Nur 55 Euro! Das ist aber günstig!
- ■ Ja, das ist ein Sonderangebot.
- c ▲ Und wie viel kostet der Stuhl?
- ■ Der Stuhl kostet 1200 Euro. Der Designer heißt Nilsson.
- d ▲ Er ist wirklich schön, aber sehr teuer.
- ■ Finden Sie?

der(m) das(n) / die(f)

KB 4 **2** **Meine Möbel**

WÖRTER

a **Ergänzen Sie die Nomen mit Artikel.**

~~Bett~~ | Bild | Lampe | Sessel | Stuhl | Sofa | Tisch | Schrank | Teppich

b **Notieren Sie 10 Nomen aus den Lektionen 1 bis 3. Ihre Partnerin / Ihr Partner sucht die Artikel im Wörterbuch.**

der **Sohn** [zo:n]; -[e]s, Söhne ['zø:nə]: *männliches Kind:* ein Sohn aus erster, zweiter Ehe; der älteste, jüngste, einzige Sohn; Vater und Sohn sehen sich überhaupt nicht ähnlich; die Familie hat zwei Söhne und eine Tochter. *Syn.:* Junior. *Zus.:* Adoptivsohn.

KB 4 **3** **Ergänzen Sie *der*, *das* oder *die* und vergleichen Sie.**

STRUKTUREN

Deutsch	Englisch	Meine Sprache oder andere Sprachen
der Mann, der Tisch	**the** man, **the** table	el hombre, la mesa
das Kind, das Bett	**the** child, **the** bed	el niño, la cama
die Frau, die Lampe	**the** woman, **the** lamp	la mujer, la lampara

BASISTRAINING

KB 5 ▶ 1 14 WÖRTER

4 Welche Zahlen hören Sie?

a Kreuzen Sie an.

1	○ 323	○ 332	4	○ 1100	○ 1010
2	○ 17000	○ 70000	5	○ 64200	○ 46200
3	○ 350000	○ 355000	6	○ 100000	○ 1000000

▶ 1 15 **b** Hören Sie noch einmal und sprechen Sie nach.

KB 6 ▶ 1 16-19 HÖREN

5 Was kosten die Möbel? Notieren Sie die Preise.

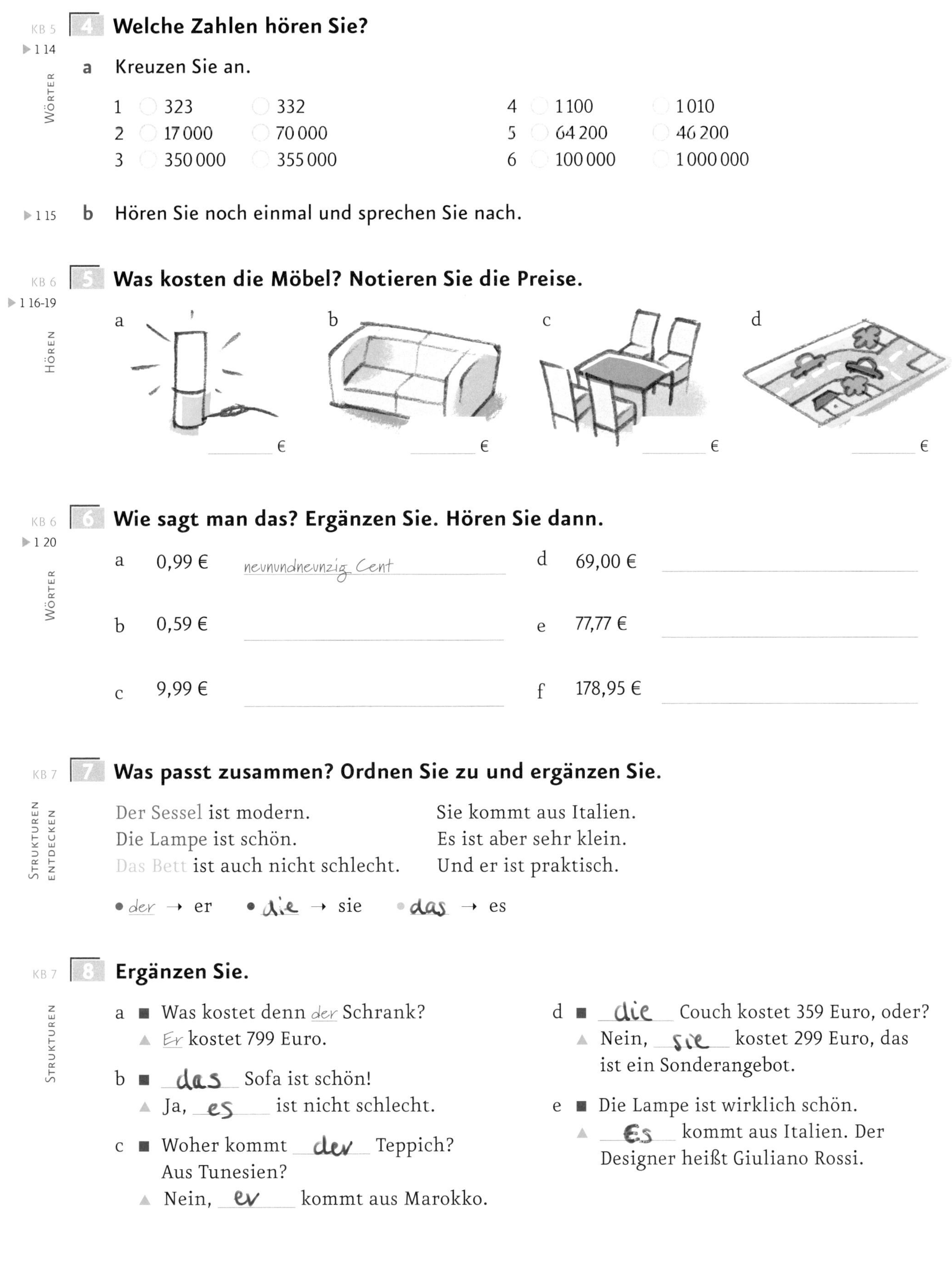

a ______ €   b ______ €   c ______ €   d ______ €

KB 6 ▶ 1 20 WÖRTER

6 Wie sagt man das? Ergänzen Sie. Hören Sie dann.

a 0,99 € neunundneunzig Cent

b 0,59 € ______

c 9,99 € ______

d 69,00 € ______

e 77,77 € ______

f 178,95 € ______

KB 7 STRUKTUREN ENTDECKEN

7 Was passt zusammen? Ordnen Sie zu und ergänzen Sie.

Der Sessel ist modern. Sie kommt aus Italien.
Die Lampe ist schön. Es ist aber sehr klein.
Das Bett ist auch nicht schlecht. Und er ist praktisch.

● der → er   ● die → sie   ● das → es

KB 7 STRUKTUREN

8 Ergänzen Sie.

a ■ Was kostet denn der Schrank?
▲ Er kostet 799 Euro.

b ■ das Sofa ist schön!
▲ Ja, es ist nicht schlecht.

c ■ Woher kommt der Teppich? Aus Tunesien?
▲ Nein, er kommt aus Marokko.

d ■ die Couch kostet 359 Euro, oder?
▲ Nein, sie kostet 299 Euro, das ist ein Sonderangebot.

e ■ Die Lampe ist wirklich schön.
▲ Es kommt aus Italien. Der Designer heißt Giuliano Rossi.

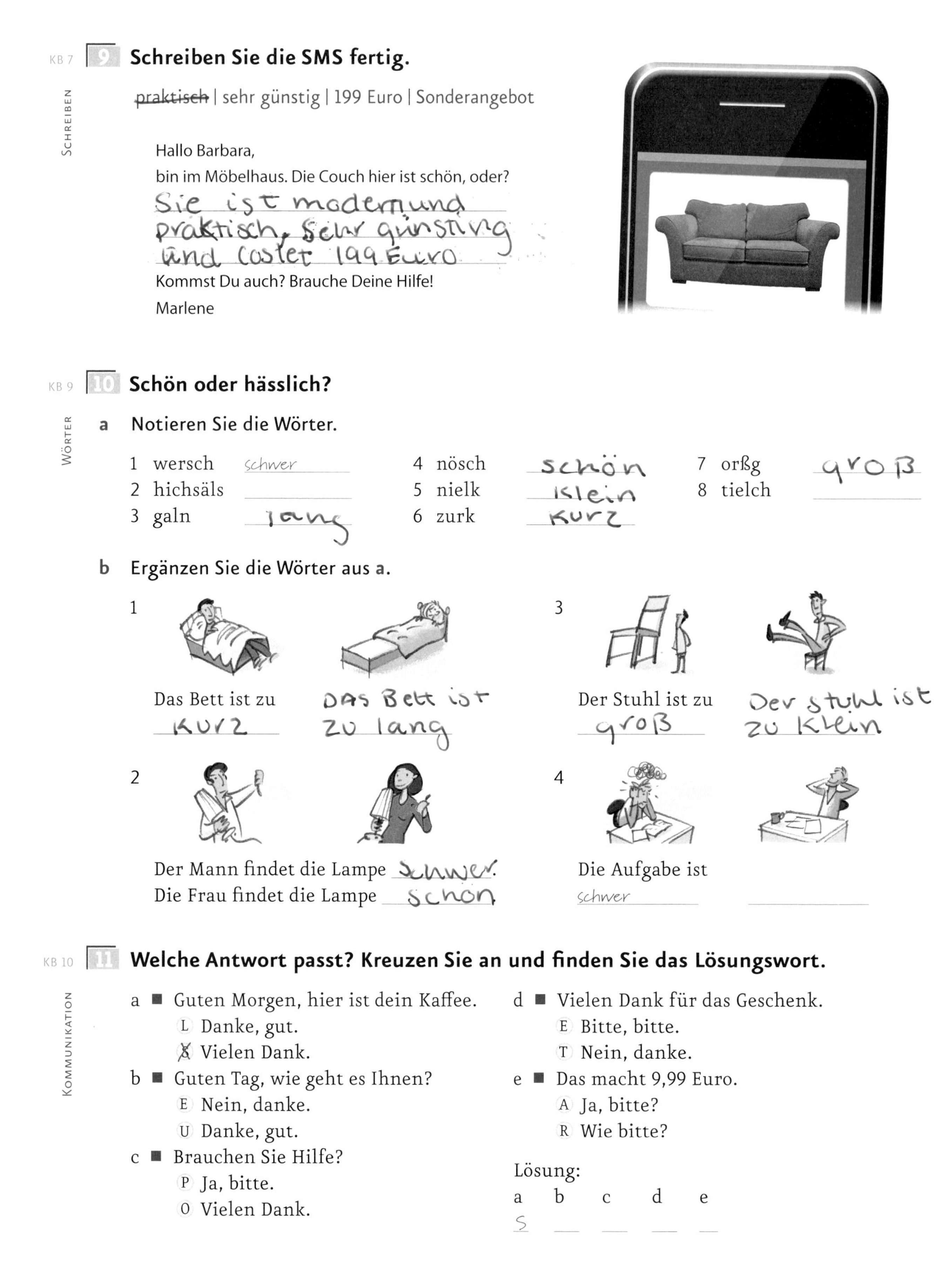

KB 7 **9** SCHREIBEN

Schreiben Sie die SMS fertig.

~~praktisch~~ | sehr günstig | 199 Euro | Sonderangebot

Hallo Barbara,
bin im Möbelhaus. Die Couch hier ist schön, oder?
____
____
____
Kommst Du auch? Brauche Deine Hilfe!
Marlene

KB 9 **10** WÖRTER

Schön oder hässlich?

a Notieren Sie die Wörter.

1 wersch *schwer*
2 hichsäls ______
3 galn ______
4 nösch ______
5 nielk ______
6 zurk ______
7 orßg ______
8 tielch ______

b Ergänzen Sie die Wörter aus a.

1 Das Bett ist zu ______ ______

2 Der Mann findet die Lampe ______.
Die Frau findet die Lampe ______.

3 Der Stuhl ist zu ______ ______

4 Die Aufgabe ist *schwer* ______

KB 10 **11** KOMMUNIKATION

Welche Antwort passt? Kreuzen Sie an und finden Sie das Lösungswort.

a ■ Guten Morgen, hier ist dein Kaffee.
 L Danke, gut.
 S Vielen Dank.

b ■ Guten Tag, wie geht es Ihnen?
 E Nein, danke.
 U Danke, gut.

c ■ Brauchen Sie Hilfe?
 P Ja, bitte.
 O Vielen Dank.

d ■ Vielen Dank für das Geschenk.
 E Bitte, bitte.
 T Nein, danke.

e ■ Das macht 9,99 Euro.
 A Ja, bitte?
 R Wie bitte?

Lösung:
a b c d e
S __ __ __ __

TRAINING: LESEN

1 Bringen Sie die E-Mails in die richtige Reihenfolge.

	1	2	3	4
E-Mail:	C	B	A	D

A Hallo Susi,
danke für den Tipp. Bei Möbel Amra kostet ein Sofa 199 € und ein Bett 149 €. Das finde ich nicht teuer und die Möbel sind wirklich schön.
Gruß Johannes

B Hallo Johannes,
bei MÖBEL AMRA in der Blücherstraße gibt es günstige Möbel. Und sie sind wirklich schön.
Susi

C Hallo Susi,
ich brauche ein Sofa und ein Bett für mein Zimmer. Wo finde ich günstige Möbel in Berlin? Weißt Du das? Ich habe wirklich nicht viel Geld. ☹
Gruß Johannes → Wer schreibt?

D Hallo Johannes, super! ☺
Bis bald
Susi

TIPP
Markieren Sie in Texten die Antworten auf die W-Fragen: **Wer** schreibt? **Was** braucht er/sie? **Wo** findet er/sie ...? **Wie viel** kostet ...? **Wie** findet er/sie ...? So verstehen Sie den Text besser.

2 Kreuzen Sie an.

		richtig	falsch
a	Susi braucht Möbel.	○	○
b	MÖBEL AMRA hat billige Möbel.	○	○
c	Ein Sofa kostet 149 Euro.	○	○
d	Johannes findet die Möbel hässlich.	○	○

TRAINING: AUSSPRACHE *lange und kurze Vokale*

▶ 1 21 1 Hören Sie und sprechen Sie nach.

a aber – Lampe – lang – Italien – praktisch
e Bett – schwer – sehr – Sessel – schlecht
i wie – viel – Tisch – billig – nicht
o Sofa – groß – kosten – Sonderangebot
u Stuhl – kurz – zu – gut – hundert

2 Ergänzen Sie die Regel.

REGEL
kurz | lang

Vokale spricht man im Deutschen __________ (a, e ...) oder __________ (a, e ...). Vokal vor Doppel-Konsonant (ll, ss, tt ...) ist immer __________. Die Kombination „ie" ist __________. Man spricht i.
Der Buchstabe „h" vor Konsonant (hl ...) macht den Vokal __________.

▶ 1 22 3 Hören Sie und sprechen Sie nach.

a Aber die Lampe aus Italien ist praktisch.
b Das Bett ist sehr schwer.
c Wie viel? Der Tisch ist nicht billig.
d Oh! So groß! Das Sofa ist im Sonderangebot.
e Der Stuhl ist gut. Nur hundert Euro.

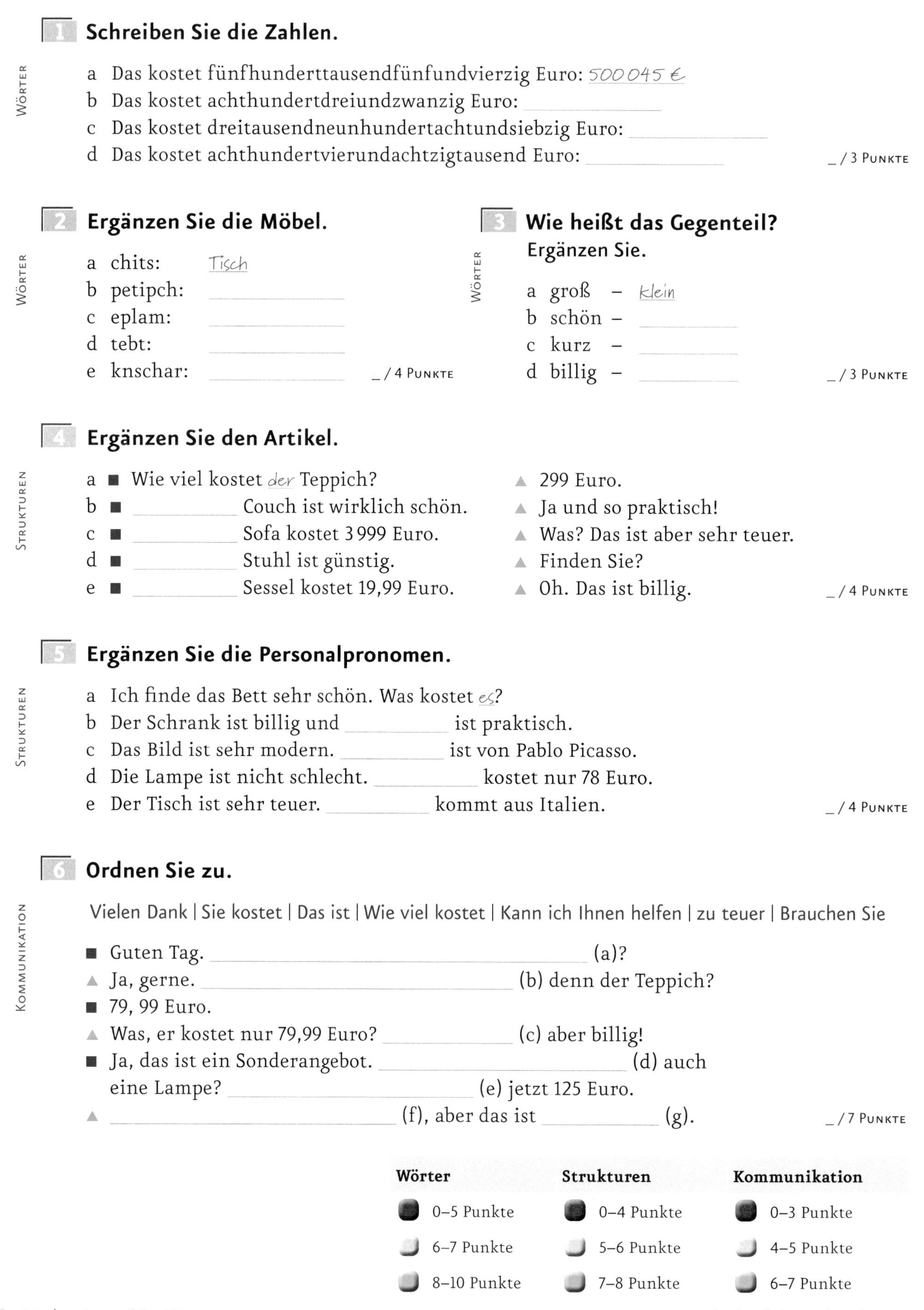

TEST

1 Schreiben Sie die Zahlen.

WÖRTER

a Das kostet fünfhunderttausendfünfundvierzig Euro: 500 045 €
b Das kostet achthundertdreiundzwanzig Euro: ____________
c Das kostet dreitausendneunhundertachtundsiebzig Euro: ____________
d Das kostet achthundertvierundachtzigtausend Euro: ____________

_ / 3 PUNKTE

2 Ergänzen Sie die Möbel.

WÖRTER

a chits: Tisch
b petipch: ____________
c eplam: ____________
d tebt: ____________
e knschar: ____________

_ / 4 PUNKTE

3 Wie heißt das Gegenteil? Ergänzen Sie.

WÖRTER

a groß – klein
b schön – ____________
c kurz – ____________
d billig – ____________

_ / 3 PUNKTE

4 Ergänzen Sie den Artikel.

STRUKTUREN

a ■ Wie viel kostet der Teppich? ▲ 299 Euro.
b ■ ____________ Couch ist wirklich schön. ▲ Ja und so praktisch!
c ■ ____________ Sofa kostet 3 999 Euro. ▲ Was? Das ist aber sehr teuer.
d ■ ____________ Stuhl ist günstig. ▲ Finden Sie?
e ■ ____________ Sessel kostet 19,99 Euro. ▲ Oh. Das ist billig.

_ / 4 PUNKTE

5 Ergänzen Sie die Personalpronomen.

STRUKTUREN

a Ich finde das Bett sehr schön. Was kostet es?
b Der Schrank ist billig und ____________ ist praktisch.
c Das Bild ist sehr modern. ____________ ist von Pablo Picasso.
d Die Lampe ist nicht schlecht. ____________ kostet nur 78 Euro.
e Der Tisch ist sehr teuer. ____________ kommt aus Italien.

_ / 4 PUNKTE

6 Ordnen Sie zu.

KOMMUNIKATION

Vielen Dank | Sie kostet | Das ist | Wie viel kostet | Kann ich Ihnen helfen | zu teuer | Brauchen Sie

■ Guten Tag. ____________ (a)?
▲ Ja, gerne. ____________ (b) denn der Teppich?
■ 79, 99 Euro.
▲ Was, er kostet nur 79,99 Euro? ____________ (c) aber billig!
■ Ja, das ist ein Sonderangebot. ____________ (d) auch eine Lampe? ____________ (e) jetzt 125 Euro.
▲ ____________ (f), aber das ist ____________ (g).

_ / 7 PUNKTE

Wörter	Strukturen	Kommunikation
0–5 Punkte	0–4 Punkte	0–3 Punkte
6–7 Punkte	5–6 Punkte	4–5 Punkte
8–10 Punkte	7–8 Punkte	6–7 Punkte

LERNWORTSCHATZ

1 Wie heißen die Wörter in Ihrer Sprache? Übersetzen Sie.

Möbel

Möbel (Pl.)
Bett das, -en
Bild das, -er
Lampe die, -n
Schrank der, ¨-e
A: Kasten der, ¨-
Sessel der, -
A/CH: Fauteuil der, -s

Sofa das, -s /
Couch die, -(e)s / -en
Stuhl der, ¨-e
A: auch: Sessel der, -
Teppich der, -e
Tisch der, -e

Etwas beschreiben

groß
hässlich
klein
kurz
lang
leicht
modern
praktisch
(nicht) schlecht
schön
schwer

sehr (groß/
klein/...)
zu (groß/klein/...)

Geld

Euro der, -s
100 Euro
Cent der, -s
Preis der, -e
Angebot das, -e
Sonderangebot

kosten
machen
das macht ...

günstig/billig
teuer

Weitere wichtige Wörter

Hilfe die, -n
Zimmer das , -

brauchen
finden
sagen

nur
wirklich

TIPP

Notieren Sie Nomen immer mit dem Artikel und mit Farbe.

● der Tisch
● die Lampe
● das Sofa

2 Welche Wörter möchten Sie noch lernen? Notieren Sie.

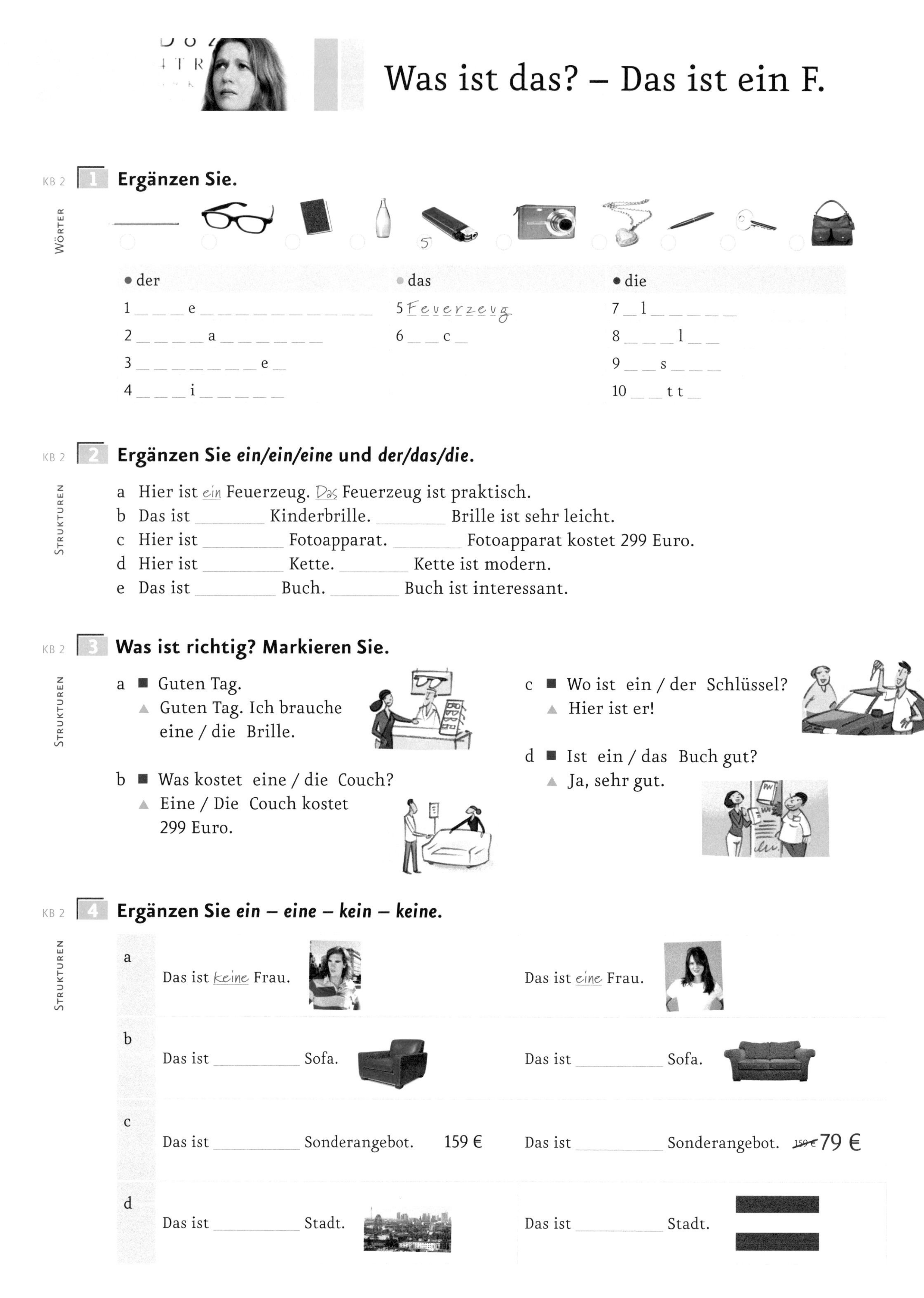

Was ist das? – Das ist ein F.

KB 2 **1** WÖRTER

Ergänzen Sie.

5

● der	● das	● die
1 _ _ _ e _ _ _ _ _ _ _ _ _ _ _	5 Feuerzeug	7 _ l _ _ _ _ _ _
2 _ _ _ _ a _ _ _ _ _ _ _ _	6 _ _ c _	8 _ _ _ l _ _
3 _ _ _ _ _ _ _ _ _ e _		9 _ _ s _ _ _
4 _ _ _ i _ _ _ _ _ _		10 _ _ t t _

KB 2 **2** STRUKTUREN

Ergänzen Sie *ein/ein/eine* und *der/das/die*.

a Hier ist ein Feuerzeug. Das Feuerzeug ist praktisch.
b Das ist ______ Kinderbrille. ______ Brille ist sehr leicht.
c Hier ist ______ Fotoapparat. ______ Fotoapparat kostet 299 Euro.
d Hier ist ______ Kette. ______ Kette ist modern.
e Das ist ______ Buch. ______ Buch ist interessant.

KB 2 **3** STRUKTUREN

Was ist richtig? Markieren Sie.

a ■ Guten Tag.
▲ Guten Tag. Ich brauche eine / die Brille.

b ■ Was kostet eine / die Couch?
▲ Eine / Die Couch kostet 299 Euro.

c ■ Wo ist ein / der Schlüssel?
▲ Hier ist er!

d ■ Ist ein / das Buch gut?
▲ Ja, sehr gut.

KB 2 **4** STRUKTUREN

Ergänzen Sie *ein – eine – kein – keine*.

a Das ist keine Frau. | Das ist eine Frau.

b Das ist ______ Sofa. | Das ist ______ Sofa.

c Das ist ______ Sonderangebot. 159 € | Das ist ______ Sonderangebot. ~~159 €~~ 79 €

d Das ist ______ Stadt. | Das ist ______ Stadt.

BASISTRAINING

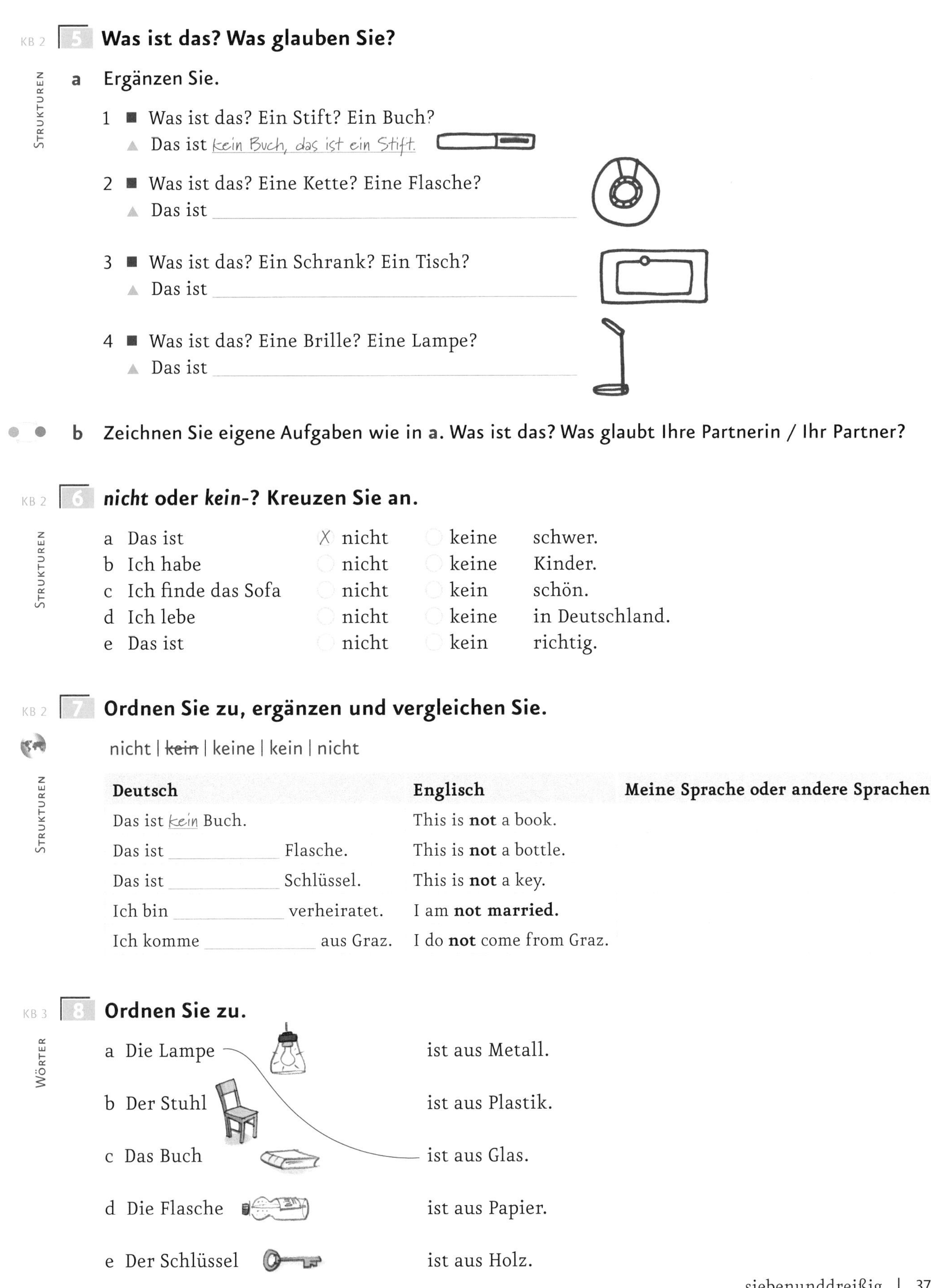

KB 2 | STRUKTUREN

5 Was ist das? Was glauben Sie?

a Ergänzen Sie.

1 ■ Was ist das? Ein Stift? Ein Buch?
▲ Das ist *kein Buch, das ist ein Stift.*

2 ■ Was ist das? Eine Kette? Eine Flasche?
▲ Das ist ______

3 ■ Was ist das? Ein Schrank? Ein Tisch?
▲ Das ist ______

4 ■ Was ist das? Eine Brille? Eine Lampe?
▲ Das ist ______

b Zeichnen Sie eigene Aufgaben wie in **a**. Was ist das? Was glaubt Ihre Partnerin / Ihr Partner?

KB 2 | STRUKTUREN

6 *nicht* oder *kein-*? Kreuzen Sie an.

a	Das ist	☒ nicht	○ keine	schwer.
b	Ich habe	○ nicht	○ keine	Kinder.
c	Ich finde das Sofa	○ nicht	○ kein	schön.
d	Ich lebe	○ nicht	○ keine	in Deutschland.
e	Das ist	○ nicht	○ kein	richtig.

KB 2 | STRUKTUREN

7 Ordnen Sie zu, ergänzen und vergleichen Sie.

nicht | ~~kein~~ | keine | kein | nicht

Deutsch	Englisch	Meine Sprache oder andere Sprachen
Das ist *kein* Buch.	This is **not** a book.	
Das ist ______ Flasche.	This is **not** a bottle.	
Das ist ______ Schlüssel.	This is **not** a key.	
Ich bin ______ verheiratet.	I am **not married.**	
Ich komme ______ aus Graz.	I do **not** come from Graz.	

KB 3 | WÖRTER

8 Ordnen Sie zu.

a Die Lampe	ist aus Metall.
b Der Stuhl	ist aus Plastik.
c Das Buch	ist aus Glas.
d Die Flasche	ist aus Papier.
e Der Schlüssel	ist aus Holz.

BASISTRAINING

KB 3 **9** **Ergänzen und malen Sie die Farben und Formen.**

WÖRTER

s _ _ _ _ _ z ●	w _ _ ß
r _ t	b _ _ u
g _ _ b	g _ _ n
o _ _ _ _ e	b _ _ _ n
e _ _ _ g □	r _ _ d

KB 5 **10** **Beschreiben Sie die Produkte.**

SCHREIBEN

a Super-Regenschirm – schwarz – sehr groß – neu – € 30
Der Regenschirm ist schwarz, sehr groß und neu. Er kostet 30 Euro.

b Sessel Luxor – rot – fünf Jahre alt – € 50
Der Sessel ______________________________

c Tasche – Kunststoff – orange – sehr praktisch – neu – € 78
____

d Uhr – braun – sehr modern – € 37
____

e Lampe – schwarz – Plastik – zwei Jahre alt – € 12
____

KB 6 **11** **Wie schreibt man das?**

KOMMUNIKATION

a Ordnen Sie zu.

Wie	heißt das auf Deutsch?
Wie	kein Problem.
Wie	schreibt man das?
Bitteschön,	bitte?

b Ergänzen Sie das Gespräch mit Wendungen aus a.

■ Entschuldigung. ______________________________?
▲ Das ist eine Zeitung!
■ *Wie schreibt man das* ?
▲ Z-E-I-T-U-N-G
■ Z-E-I- ..... ______________________________?
▲ Z-E-I-T-U-N-G ...
■ Vielen Dank.
▲ ______________________________.

TRAINING: SCHREIBEN

1 Formulare. Ordnen Sie zu.

Beruf | Familienname | Straße | Vorname | E-Mail | Ort | ~~PLZ~~ | Telefon

Paul Paulsen
Diplom-Ingenieur
Resseltstr. 15
6020 Innsbruck
0043 / 676 – 37 20 207
paul@paul.at

PLZ

TIPP
Sie müssen oft Ihre Adresse sagen oder die Adresse von anderen verstehen. Achten Sie besonders auf Wörter wie *Ort*, *Postleitzahl* … So verstehen Sie wichtige Informationen.

2 Lesen Sie die Informationen über Jurj Kulintsev und ergänzen Sie die Kundenkarte.

Jurj Kulintsev kommt aus Russland. Jetzt wohnt er zusammen mit seiner Frau in der Schweiz, in der Helvetiastraße 18 in 3005 Bern. Er hat eine Ausbildung als Informatiker und arbeitet jetzt als Programmierer bei DATNET. Er findet Bern sehr schön.

KAUFHAUS KAUFGUT

Antrag auf eine Kundenkarte:
○ Herr ○ Frau

Name: Kulintsev
Vorname: ______
Straße: ______
PLZ, Ort: ______ ______
Beruf: ______
E-Mail: jurj.kulintsev@web.ch

TRAINING: AUSSPRACHE *Satzakzent*

1 Hören Sie und kreuzen Sie in der Regel an. (1 23)

a
■ Was ist das? ↘
▲ Das ist eine Kette. ↘
■ Wie schreibt man das? ↘
▲ Mit zwei Te. ↘

b
■ Und was ist das? ↗ Ist das eine Kette? ↗
▲ Nein. ↘ Das ist keine Kette, → das ist ein Ring. ↘

REGEL
Der Satzakzent ist
○ immer auf dem letzten Wort.
○ auf der wichtigen oder neuen Information.

2 Markieren Sie den Satzakzent. Hören Sie dann und vergleichen Sie. (1 24)

a Wie heißt das auf Deutsch?
b Das ist eine Uhr.
c Sie ist aus Plastik.
d Ist das eine Seife?
e Das ist keine Seife, das ist eine Brille.

Hören Sie noch einmal und sprechen Sie nach. (1 25)

TEST

1 Markieren Sie und ordnen Sie zu.

WÖRTER

EFAMBLAUETUGINFEUERZEUGALVIECKIGUNTSEIFELUGEKUNSTSTOFFA
VIRBORANGEWERRUNDUMOMETALLABIN

Farben: blau ______ ______ Gegenstände: ______ ______
Formen: ______ ______ Materialien: ______ ______

_ / 7 PUNKTE

2 Kreuzen Sie an.

WÖRTER

			richtig	falsch
a	*Familienname:*	Maria	○	X
b	*Postleitzahl:*	6003	○	○
c	*Wohnort:*	Luzern	○	○
d	*Straße:*	Bahnhofstr.	○	○
e	*Geburtsdatum:*	3066	○	○
f	*E-Mail:*	eva111@t-on.ch	○	○

_ / 5 PUNKTE

3 Ergänzen Sie *ein/eine/kein/keine*.

STRUKTUREN

a ■ Danke für die Hilfe.
▲ Bitte, das ist kein Problem.

b ■ Wer ist Amelie?
▲ Sie ist ______ Freundin von Sarah.

c ■ Hier ist der Bleistift!
▲ Das ist doch ______ Bleistift, das ist ______ Kugelschreiber!
■ Oh, Entschuldigung.

d ■ Wie heißt das Wort? „Doch“ oder „noch“?
▲ „Noch“. Das ist ______ „n“.

e ■ Was kostet die Tasche?
▲ Das ist ______ Tasche, das ist ______ Geldbörse.

f ■ Wie heißt das auf Deutsch?
▲ Das ist ______ Fotoapparat.

_ / 7 PUNKTE

4 Was sagen die Personen? Ergänzen Sie.

KOMMUNIKATION

■ Entschuldigung, „a biro“, w _ _ h _ _ _ _ d _ _ auf Deutsch? (a)
▲ Ah, d _ _ i _ _ ein Kugelschreiber. (b)
■ W _ _ b _ _ _ _ ? (c)
▲ Ein Kugelschreiber.
■ Ah, danke. Und noch eine Frage, w _ _ s _ _ _ _ _ _ _ m _ _ das? (d)
▲ K-U-G-E-L-S-C-H-R-E-I-B-E-R.
■ Vielen D _ _ _ ! (e)
▲ Bitte, kein P _ _ _ _ _ _ ! (f)

_ / 6 PUNKTE

Wörter	Strukturen	Kommunikation
● 0–6 Punkte	● 0–3 Punkte	● 0–3 Punkte
◐ 7–9 Punkte	◐ 4–5 Punkte	◐ 4 Punkte
○ 10–12 Punkte	○ 6–7 Punkte	○ 5–6 Punkte

1 Wie heißen die Wörter in Ihrer Sprache? Übersetzen Sie.

Farben

Farbe die, -n
blau
braun
gelb
grün
orange
rot
schwarz
weiß

Formen/Beschaffenheit

Form die, -en
eckig
leicht
neu
rund

Materialien

Material das, Materialien
Glas das
Holz das
Metall das
Papier das
Plastik das / Kunststoff der
aus Glas/Holz/Metall …

Gegenstände

Bleistift der, -e
Brille die, -n
Buch das, ¨-er
Feuerzeug das, -e
Flasche die, -n
Fotoapparat der, -e
Geldbörse die, -n
CH: Portemonnaie das, -s
Kette die, -n
Kugelschreiber der, -
Regenschirm der, -e
Ring der, -e
Schlüssel der, -
Seife die, -n
Streichholz das, ¨-er
CH: auch: Zündholz das, ¨-er
Tasche die, -n
Uhr die, -en

Persönliche Angaben

Adresse die, -n
E-Mail die, -s
A: E-Mail das, -s
Fax das, -e
Geburtsdatum das, Geburtsdaten
Hausnummer die, -n; Nummer die, -n
Ort der, -e
PLZ (Postleitzahl) die, -en
Straße die, -n
Telefon das, -e

Weitere wichtige Wörter

Entschuldigung die, -en
Menge die, -n
Problem das, -e
kein Problem
Produkt das, -e
Wort das, ¨-er
Wörterbuch das, ¨-er
bieten
schreiben
jetzt
man
jede/r
noch einmal
so

2 Welche Wörter möchten Sie noch lernen? Notieren Sie.

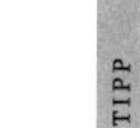

TIPP

Malen Sie Bilder zu neuen Wörtern.

● rund
■ eckig

Ich brauche kein Büro.

KB 6 **1** **Schreiben Sie die Wörter an die richtige Stelle.**

Wörter

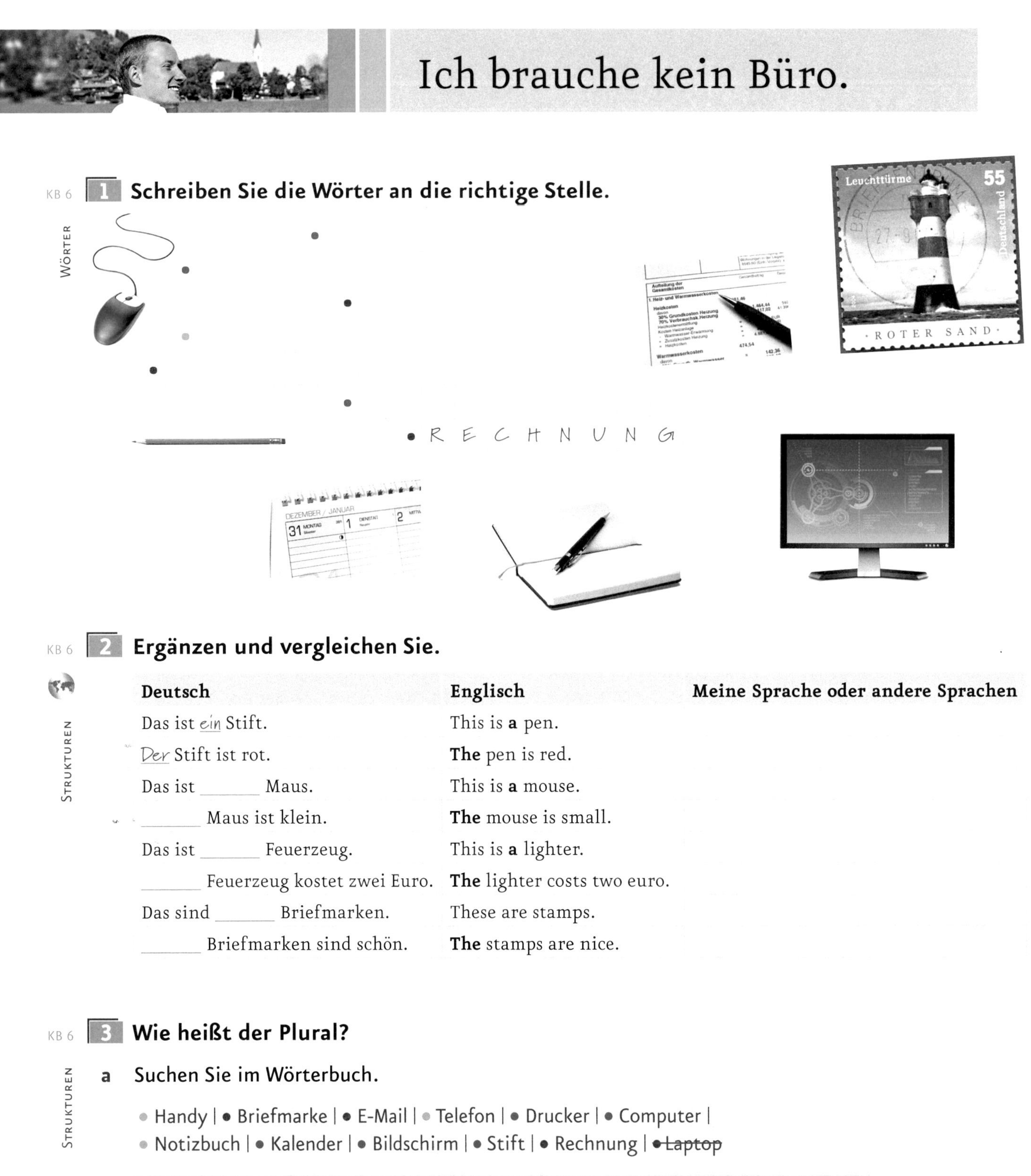

KB 6 **2** **Ergänzen und vergleichen Sie.**

Strukturen

Deutsch	Englisch	Meine Sprache oder andere Sprachen
Das ist ein Stift.	This is **a** pen.	
Der Stift ist rot.	**The** pen is red.	
Das ist _______ Maus.	This is **a** mouse.	
_______ Maus ist klein.	**The** mouse is small.	
Das ist _______ Feuerzeug.	This is **a** lighter.	
_______ Feuerzeug kostet zwei Euro.	**The** lighter costs two euro.	
Das sind _______ Briefmarken.	These are stamps.	
_______ Briefmarken sind schön.	**The** stamps are nice.	

KB 6 **3** **Wie heißt der Plural?**

Strukturen

a Suchen Sie im Wörterbuch.

• Handy | • Briefmarke | • E-Mail | • Telefon | • Drucker | • Computer | • Notizbuch | • Kalender | • Bildschirm | • Stift | • Rechnung | ~~• Laptop~~

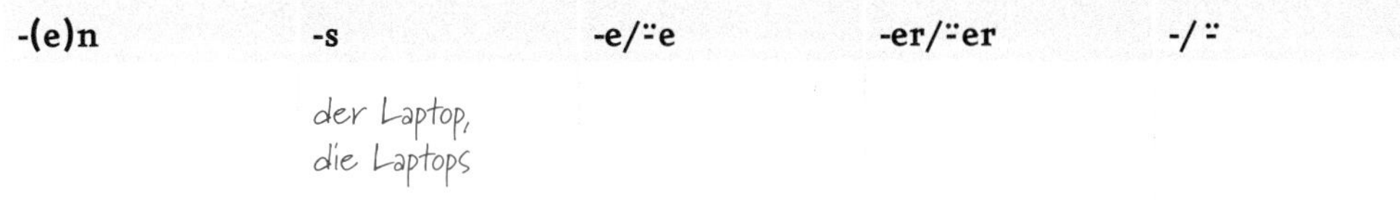

-(e)n	-s	-e/¨e	-er/¨er	-/¨
	der Laptop, die Laptops			

b Suchen Sie zehn Nomen aus den Lektionen 1 bis 5. Ihre Partnerin / Ihr Partner sucht die Pluralform im Wörterbuch.

die **Brief|mar|ke** ['bri:fmarkə]; -, -n: *von der Post herausgegebene Marke von bestimmtem Wert, die auf den Briefumschlag, die Postkarte oder das Päckchen*

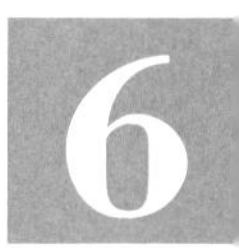

KB 6 **4** **Ergänzen Sie die Pluralform und (wenn nötig) den Umlaut (*ä/ö/ü*).**

STRUKTUREN

a Alle Kalender*–* – jetzt nur 10 Euro!

b „Die Büroeinrichter!"
Wir haben Tisch___, Stühl*e* und Schrank___.

c Hier finden Sie Handy___! Gut und günstig!

d Neu! Im Juli kommen die Briefmarke___ zur Fußball-WM.

e Wir haben die besten **Sonderangebote** für **Computer**___ und **Drucker**___.

f Geldbörse___ und Tasche___ aus Leder! Jetzt bei lederwelt.de!

KB 7 **5** **Markieren Sie den Nominativ und den Akkusativ. Ergänzen Sie dann die Tabelle.**

STRUKTUREN ENTDECKEN

a ■ Wo ist der Schlüssel?
▲ Frau Feser hat den Schlüssel.
■ Ach so!

b ■ Wo ist denn das Wörterbuch?
▲ Ich habe das Wörterbuch auch nicht.

c ■ Ich finde den Kalender schön.
▲ Ich auch, aber der Kalender ist zu klein.

d ■ Wo sind die Briefmarken? Hast du die Briefmarken?
▲ Nein, Frau Bertlein hat doch die Briefmarken.

e ■ Der Chef sucht die Rechnung.
▲ Die Rechnung ist aber nicht hier.

Nominativ	Akkusativ
● *der* Schlüssel	___ Schlüssel
● ___ Wörterbuch	___ Wörterbuch
● ___ Rechnung	___ Rechnung
● ___ Briefmarken	___ Briefmarken

KB 7 **6** **Ergänzen Sie den Artikel.**

STRUKTUREN

a ■ Oh! Der Tisch ist praktisch! ▲ Hm, ich finde *den* Tisch hässlich.

b ■ Schau mal, die Couch, die ist nicht schlecht! ▲ Findest du? Ich finde ___ Couch zu groß.

c ■ Aber der Schrank ist super! ▲ Na ja, ich finde ___ Schrank zu teuer.

d ■ Und das Bett? Wie findest du das? ▲ Es geht. Ich finde ___ Bett zu klein.

e ■ Aber die Bilder! Die sind wirklich schön. ▲ Ja, ich finde ___ Bilder auch schön.

BASISTRAINING

KB 8 **7 Im Büro. Schreiben Sie.**

STRUKTUREN

• Handy/• Telefon | • ~~Computer~~/• ~~Laptop~~ | • Bildschirm/ • Drucker | • ~~Bleistifte~~/• ~~Kugelschreiber~~ | • Rechnung/ • Briefmarken | • Kalender/• Buch

Jutta hat *einen Computer, aber keinen Laptop.*
Sie hat *Bleistifte, aber keine Kugelschreiber.*

KB 8 **8 Ergänzen Sie den Artikel (*der/das/die – ein/eine/einen – kein/keine/keinen*) oder / .**

STRUKTUREN

a
Peter,
_____ Termin mit Firma MAGUS ist heute um 14.00 Uhr!

b
Hallo Frau Peters,
wir haben _____ Briefmarken. Haben Sie Zeit? Kaufen Sie bitte _____ Briefmarken?
Gruß P. Bolz

c
Elena,
Tim, der neue Kollege, hat *einen* Computer und _____ Bildschirm, aber _____ Drucker. Hast du _____ Drucker?
Danke, Francesca

d
Hallo Elena,
ich habe jetzt _____ Drucker.
Danke! ☺
Tim

e
Samuel,
wie heißt _____ Straße und _____ Hausnummer der Firma ZELL AG?
Sue

f
Lieber Daniel,
ich habe um 15 Uhr _____ Zeit! ☹ Tut mir leid.
Bis später,
Thea

KB 8 **9 Lesen Sie die E-Mail und kreuzen Sie an.**

LESEN

Von: h.r@yabadoo.de
Betreff: Komme später ...

Hallo Frau Söder,
ich habe um 10 Uhr einen Termin mit der Firma Grübel. Ich komme heute um 14 Uhr ins Büro.
Schreiben Sie heute bitte auch die Rechnungen für die Firma Merz und die Firma Knapp?

Ach ja, wie ist denn die Telefonnummer von Frau Pauli?
Bitte schreiben Sie mir eine SMS. Vielen Dank.

Schöne Grüße
R. Huber

	richtig	falsch
a Herr Huber hat heute einen Termin.	○	○
b Er sucht eine Rechnung.	○	○
c Er braucht eine Telefonnummer.	○	○
d Er schreibt eine SMS.	○	○

TRAINING: HÖREN

▶ 1 26–28 **1 Hören Sie die Gespräche und ordnen Sie zu.**

Gespräch	1	2	3
Bild			

TIPP: Wer spricht mit wem? Achten Sie auf die Personen und die Situationen. Bilder helfen beim Verstehen.

▶ 1 26–28 **2 Hören Sie noch einmal und kreuzen Sie an.**

		richtig	falsch
a	Herr Winter und Frau Lenz sind Kollegen.	◯	◯
b	Herr Winter sucht eine Rechnung.	◯	◯
c	Gabi und Sabine sind Freundinnen.	◯	◯
d	Gabi und Sabine gehen zusammen ins Möbelhaus.	◯	◯
e	Clara ist Studentin.	◯	◯
f	Peter, Susi und Clara gehen in ein Café.	◯	◯

TRAINING: AUSSPRACHE *Vokal „ü“*

▶ 1 29 **1 Was hören Sie: *i*, *u* oder *ü*? Kreuzen Sie an.**

	i	u	ü
1	◯	◯	◯
2	◯	◯	◯
3	◯	◯	◯
4	◯	◯	◯
5	◯	◯	◯
6	◯	◯	◯
7	◯	◯	◯
8	◯	◯	◯
9	◯	◯	◯
10	◯	◯	◯

▶ 1 30 **2 Hören Sie und markieren Sie: lang (__) oder kurz (.).**

Grüße – Schlüssel – Stühle – fünf – grün – tschüs – Büro

▶ 1 31 Hören Sie noch einmal und sprechen Sie nach.

▶ 1 32 **3 Hören Sie und markieren Sie den Wortakzent. Sprechen Sie dann.**

Termine
Um vier Uhr im Büro.
Nicht um fünf?
Nein, um sieben.

E-Mail
Viele Grüße und tschüs!

Sonderangebot
Fünf Stühle, grün und günstig,
für Sie zum Sonderpreis!

TEST

1 Ordnen Sie zu.

WÖRTER

Termin | E-Mail | ~~Telefonnummer~~ | Büro | Rechnung | Kalender

a ■ Wie ist die Telefonnummer von Frau Schön?
▲ 06391 - 3467

b ■ Wann ist der Termin mit der Firma Kloss?
▲ Ich weiß nicht. Ich finde den __________ nicht.

c ■ Was machst du?
▲ Ich schreibe eine __________ an Peter.

d ■ Das macht 499 Euro. Hier ist die __________.
▲ Vielen Dank.

e ■ Wann ist denn der __________ mit Frau Hintze?
▲ Um 17 Uhr.

f ■ Wo ist der Chef?
▲ Im __________.

_ / 5 PUNKTE

2 Ergänzen Sie den Plural und den Artikel im Singular.

STRUKTUREN

	Singular	Plural		Singular	Plural
a	die Rechnung	die Rechnungen	e	______ Formular	
b	______ Briefmarke		f	______ Drucker	
c	______ Stift		g	______ Termin	
d	______ Handy		h	______ Kalender	

_ / 7 PUNKTE

3 Was ist richtig? Markieren Sie.

STRUKTUREN

a ■ Ich suche der/den Kalender. ▲ Der/Den Kalender ist hier.
b ■ Sie haben um 10 Uhr ein/einen Termin mit Frau Berg. ▲ Ja, ich weiß.
c ■ Ich suche ein/einen Bleistift. ▲ Ich habe nur ein/einen Kugelschreiber.
d ■ Hast du kein/keinen Schlüssel? ▲ Nein, aber Herr Loos hat ein/einen Schlüssel.
e ■ Was kostet der/den Computer? ▲ Nur 499 Euro. Das ist ein Sonderangebot.

_ / 7 PUNKTE

4 Ein Telefongespräch. Ordnen Sie zu.

KOMMUNIKATION

Wo ist denn | Vielen Dank | Auf Wiederhören | Hier ist | Guten Tag

■ Wimmer.
▲ __________ (a), Herr Wimmer. __________ (b) Bugatu.
■ Hallo, Frau Bugatu.
▲ Ich habe eine Frage, Herr Wimmer. __________ (c) der Laptop?
■ Frau Schneider hat den Laptop.
▲ Ach ja, richtig. __________ (d). __________ (e), Herr Wimmer.
■ Tschüs, Frau Bugatu.

_ / 5 PUNKTE

Wörter	Strukturen	Kommunikation
0–2 Punkte	0–7 Punkte	0–2 Punkte
3 Punkte	8–11 Punkte	3 Punkte
4–5 Punkte	12–14 Punkte	4–5 Punkte

www.hueber.de/menschen/lernen

LERNWORTSCHATZ

1 Wie heißen die Wörter in Ihrer Sprache? Übersetzen Sie.

Im Büro

Arbeitsplatz der, ¨-e
Bildschirm der, -e
Briefmarke die, -n
Büro das, -s
Chef der, -s
Computer der, -
Drucker der, -
Firma die, Firmen
Formular das, -e
Handy das, -s
CH: auch: Natel das, -s
Kalender der, -
Laptop der, -s
Maus die, ¨-e
Notizbuch das, ¨-er
Rechnung die, -en
SMS die, -
A: SMS das, -
Stift der, -e
Termin der, -e

TIPP Lernen Sie immer auch die Pluralform mit.

• Stift – die Stifte

Weitere wichtige Wörter

Achtung!
Auf Wiederhören.
Foto das, -s
Gruß der, ¨-e
schöne Grüße
See der, -n
Stress der
Telefonnummer die, -n
Zeit die
keine Zeit

gehen
suchen

heute
hier
hier ist …
mit
oder
wieder

2 Welche Wörter möchten Sie noch lernen? Notieren Sie.

WIEDERHOLUNGSSTATION: WORTSCHATZ

1 Mein Zimmer

Ergänzen Sie.

2 Bilden Sie Wörter und ergänzen Sie.

num | mar | ~~Na~~ | Haus | ße | ke | Ort | zahl | ~~me~~ | Post | mer | Stra | Brief | leit

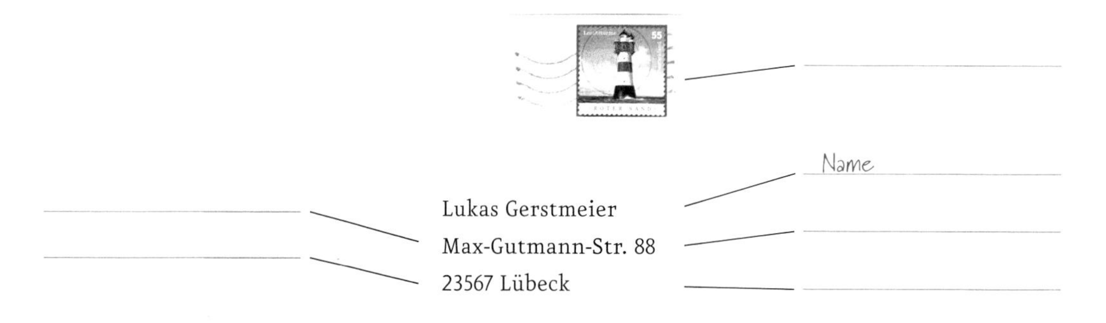

3 Was passt nicht? Streichen Sie das falsche Wort durch.

a Kollege – Sekretärin – ~~Feuerzeug~~ – Chef
b Computer – Drucker – Bildschirm – Schlüssel
c Kalender – Termin – Flasche – Zeit
d Brille – Holz – Metall – Kunststoff
e Sonderangebot – Preis – Euro – Hilfe

4 Ergänzen Sie.

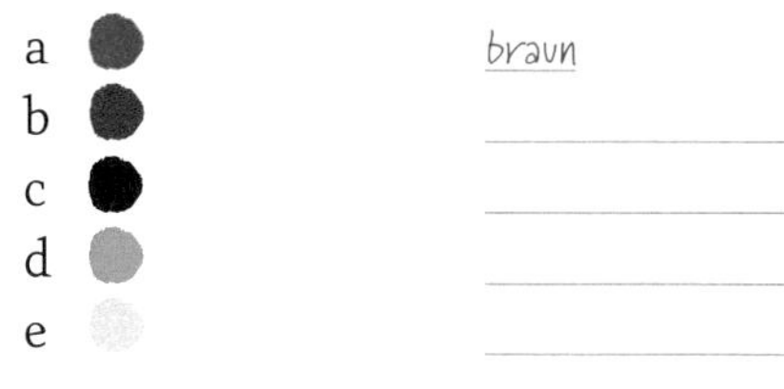

a braun
b ______
c ______
d ______
e ______

f nicht billig ______
g nicht rund ______
h nicht lang ______
i nicht teuer ______
j nicht schön ______
k nicht schwer ______

▶ 1 33

5 Zahlenrätsel

a Welche Zahlen hören Sie? Kreuzen Sie an.

890777	65678	68678	312	4567	120012	120712	3391	25821	333910
○	○	○	○	○	○	○	○	○	○
H	V	A	E	Y	S	D	L	T	N

b Ordnen Sie die Buchstaben der angekreuzten Felder ⊗ und finden Sie das Lösungswort.

_ _ _ _ _

WIEDERHOLUNGSSTATION: GRAMMATIK

1 Was ist im Schrank? Was ist nicht im Schrank? Notieren Sie.

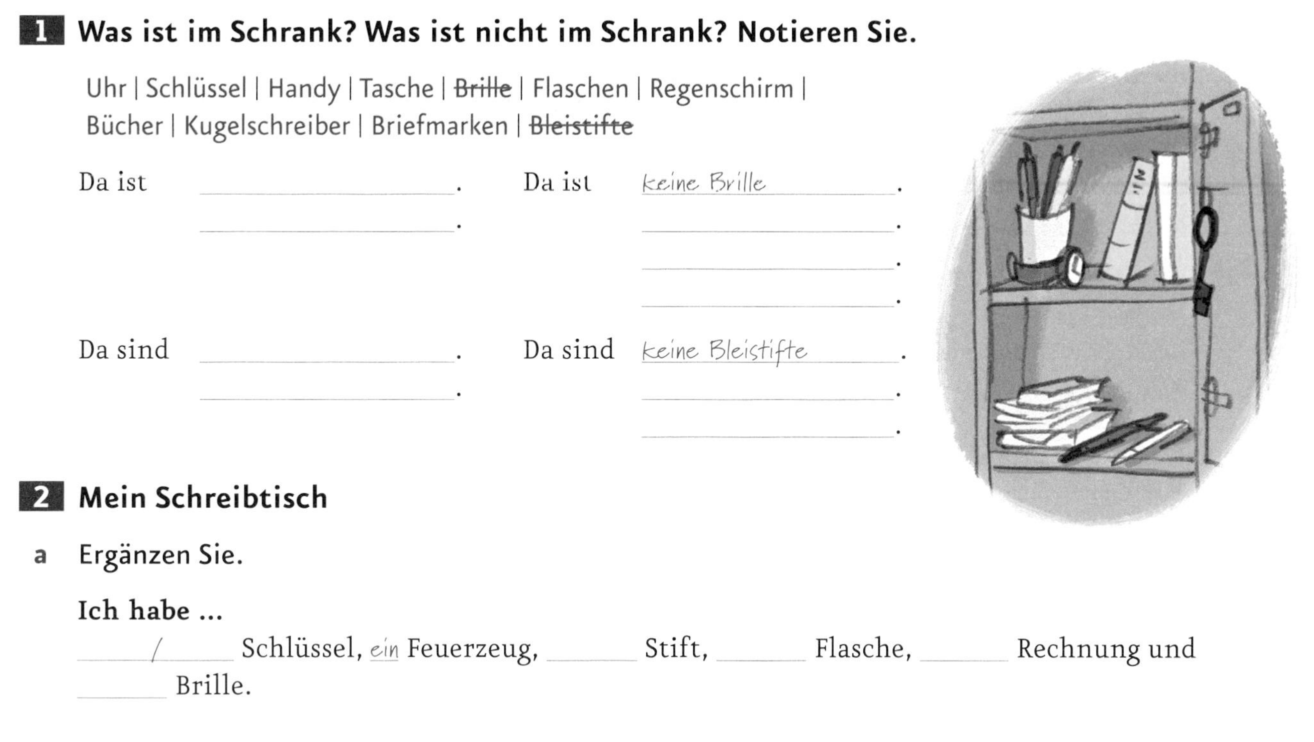

Uhr | Schlüssel | Handy | Tasche | ~~Brille~~ | Flaschen | Regenschirm | Bücher | Kugelschreiber | Briefmarken | ~~Bleistifte~~

Da ist ____________ . Da ist keine Brille .
____________ . ____________ .
____________ .
____________ .

Da sind ____________ . Da sind keine Bleistifte .
____________ . ____________ .
____________ .

2 Mein Schreibtisch

a Ergänzen Sie.

Ich habe …
_____ / _____ Schlüssel, ein Feuerzeug, _____ Stift, _____ Flasche, _____ Rechnung und _____ Brille.

b Welcher Tisch passt zu dem Text in a? Kreuzen Sie an.

3 Mein Zimmer. Ergänzen Sie die Artikel und Personalpronomen.

Das ist mein Zimmer. Es (a) ist nicht sehr groß, aber _____ (b) ist schön. _____ (c) Sofa ist nicht sehr modern. _____ (d) ist alt und klein, aber ich brauche _____ (e) Couch. Und ich habe _____ (f) Schrank. _____ (g) ist groß und nicht so schön, aber ich brauche _____ (h) Schrank. Und _____ (i) ist praktisch. _____ (j) Lampe finde ich wirklich super! _____ (k) ist modern und schön! Jetzt brauche ich noch _____ (l) Computer, _____ (m) Bild und _____ (n) Teppich. Dann finde ich mein Zimmer wirklich schön!

4 Markieren Sie das Wortende. Ordnen Sie zu und ergänzen Sie dann die Tabelle.

HANDYSBRIEFMARKENTISCHBÜROTERMINEDRUCKERSTUHLSCHRÄNKEBILDTEPPICHE
FLASCHENKETTEUHRENRINGBUCHGELDBÖRSENRECHNUNGSTIFTELAMPENPROBLEM
FORMULAREBRILLEFEUERZEUGESEIFE

Singular	Plural
das Handy	Handys

SELBSTEINSCHÄTZUNG Das kann ich!

Ich kann jetzt ...

... nach Preisen fragen / Preise nennen / Preise bewerten: L04

■ Was kostet das? ▲ Das ________ nur ________ Euro (149,90).
Das ist ein Sonderangebot.
Der Tisch kostet nur 129,- €. Das ist ________.
Der Tisch kostet 1.479,- € Das ist sehr ________.

... Möbel bewerten: L04

Der Stuhl ist nicht ________. Er ist zu ________.
▲ ☺ Ich finde die Lampe sehr ________.
■ ☹ Findest du? Ich finde die Lampe ________.

... Hilfe höflich annehmen und ablehnen: L04

▲ Brauchen Sie Hilfe? ■ Ja, ________ / Nein, ________.

... nach Wörtern fragen und Wörter nennen: L05

▲ Was ________ das? ■ Das ________.
■ Entschuldigung, ________ auf Deutsch?
▲ ________.
■ ________? ▲ B – L – E – I – S ...

... nachfragen und um Wiederholung bitten: L05

▲ Das ist ein Fotoapparat. ■ Wie ________?
Noch ________.

... einen Gegenstand beschreiben: L05

Das ist ________. ____ ist aus ________. Ich finde ihn ________.

... mich am Telefon melden und verabschieden: L06

■ Brenner IT-Consulting.
▲ ________ / ________ hier ist Ines Anton.
■ ________, Frau Anton.
...
▲ Auf Wiederhören. / Tschüs.
■ ________ / ________.

Ich kenne ...

... 5 Möbelstücke: L04

____

____

... die Zahlen von 100 bis 1 000 000: L04

200 zweihundert
1000 ________
100 000 ________
670 ________
10 000 ________
1 000 000 ________

... 8 Gegenstände: L05

Diese Gegenstände brauche ich: Schlüssel, ________
Diese Gegenstände brauche ich nicht: ________

SELBSTEINSCHÄTZUNG Das kann ich!

... **4 Formen und Materialien:** L05

... **4 Farben:** L05
Diese Farben finde ich schön: ______
... nicht so schön: ______

... **5 Gegenstände im Büro:** L06

Ich kann auch ...

... **Nomen verwenden (indefiniter Artikel ein, eine / definiter Artikel der, das, die):** L04 / L05
Das ist ______ Bett. ______ Bett kostet 359,- €.

... **Nomen verneinen (Negativartikel kein, keine):** L05
▲ Ist das ______ Kugelschreiber? ■ Nein, das ist ______ Kugelschreiber.

... **Nomen ersetzen (Personalpronomen er, es, sie):** L04
▲ Was kostet die Couch? ■ ______ kostet 1.379,- €.

... **mehrere Nomen verwenden (Plural):** L06
Wo sind ______?
Wo sind ______?

... **sagen, dass ich etwas (nicht) brauche / (nicht) habe / (nicht) suche (Akkusativ):** L06
Ich brauche ______.
Ich suche ______.
Hast du ______?
Ich habe ______

Üben / Wiederholen möchte ich noch ...

RÜCKBLICK

Wählen Sie eine Aufgabe zu Lektion 4

 **1 Ergänzen Sie die Sätze.**

Sehen Sie im Kursbuch das Foto und die Gespräche auf Seite 25 noch einmal an.

Auf dem Foto ist ______. Artur sagt, ______.
Sybille sagt, der Tisch ______. Die Lampe kostet ______.

RÜCKBLICK

 **2 Wie finden Sie die Möbel? Suchen Sie in Prospekten oder im Internet und schreiben Sie einen Text.**

Das finde ich schön:
Der Tisch ist sehr schön und sehr praktisch. Er ist nicht teuer, er kostet nur ... Euro. Der Designer heißt ...
Das finde ich hässlich: ______

Wählen Sie eine Aufgabe zu Lektion 5

1 Lesen Sie die Produktinformationen im Kursbuch auf Seite 30 noch einmal. Ergänzen Sie die Tabelle.

Produkt	Material	Farbe(n)	Preis
1 Brille EC 07	Metall	______	129 Euro
2 ______	______	______	______
3 ______	______	______	______

 **2 Beschreiben Sie Produkte.**

a Suchen Sie Produkte in Prospekten oder im Internet.

Produkt	Material	Farbe(n)	Preis
Ring	Kunststoff	braun / schwarz	...

Der Ring ist aus Kunststoff. Er ist braun und schwarz und kostet ...

b Schreiben Sie eine Produktinformation.

Wählen Sie eine Aufgabe zu Lektion 6

1 Welche Wörter brauchen Sie auch bei Ihrer Arbeit oder in Ihrem Studium? Sammeln Sie Wörter aus Lektion 6 und ergänzen Sie weitere Wörter. Notieren Sie auch den Plural.

die Sekretärin / die Sekretärinnen
der Computer / die Computer
der Termin / die ...
...

2 Schreiben Sie Ihr eigenes Glossar für Ihre Arbeit oder Ihr Studium.

Deutsch	Englisch
Friseurin	hairdresser
Was arbeitest du?	What do you work with?
die Schere	scissors
...	

LITERATUR

PAUL UND HERR ROSSMANN MACHEN FERIEN

Teil 2: Eine Sonnenbrille, bitte!

Paul geht mit Herrn Rossmann durch die Kaufingerstraße.
„Sieh mal, Herr Rossmann!“, sagt er. „Wer ist denn das?“
Herr Rossmann bellt.
„Anja ... Hallo ...!“
„Oh, hallo, Paul! Hallo, Herr Rossmann! Was macht ihr hier?“
„Wir gehen einkaufen. Und du?“
„Ich auch. Ich brauche einen Hut[1]“, sagt Anja. „Und was kaufst du?“
„Eine Sonnenbrille.“
„Gehen wir zusammen einkaufen?“

„Kann ich Ihnen helfen?“, fragt der Verkäufer.
„Ja“, sagt Anja, „wir suchen eine Sonnenbrille für Paul.“
„Ah, eine Sonnenbrille ... Wie finden Sie die hier? Sie ist jetzt im Sonderangebot. Sie kostet nur 19,90 Euro.“
„Naja ... grün ... ich weiß nicht ...“, sagt Paul.
Herr Rossmann bellt.
„Sieh mal, Paul, Herr Rossmann zeigt dir eine Brille“, sagt Anja.
„Ja, Herr Rossmann, das ist wirklich eine sehr schöne Brille. Schwarz, eckig und elegant ... Was sagst du, Anja?“
„Ja, die Brille ist super!“

„Was kostet sie?“, fragt Paul.
„Sie kostet 37,90“, sagt der Verkäufer.
„Ich nehme sie.“
Herr Rossmann bellt.
„Was ist los, Herr Rossmann?“
„Ich glaube, Herr Rossmann will auch eine Brille“, sagt Anja.
Herr Rossmann bellt.
„Na, wie findest du die?“
Herr Rossmann bellt.
„Ja, wirklich gut!“, sagt Paul.
Herr Rossmann läuft weg.
„He! Herr Rossmann! Wo läufst du hin?!“
Paul läuft dem Hund nach.
Anja will auch loslaufen, aber ...
„Stopp!“, sagt der Verkäufer. „Sie müssen die Brille noch bezahlen.“
„Aber Paul hat schon bezahlt.“
„Ja, aber nur seine Brille. Nicht die von seinem Hund.“
„Was kostet sie?“
„80 Euro.“
„Waaaas? 80 Euro? Das ist zu teuer!“, sagt Anja.
„Es ist eine Designer-Brille. 80 Euro ist ein guter Preis.“
„Also gut ...“ Anja bezahlt die Brille. Dann sucht sie Paul und Herrn Rossmann.
„Anja! ... Hier sind wir ... Sieh mal, Herr Rossmann ist zu den Hüten gelaufen! Du willst doch einen Hut kaufen, oder?“
„Jetzt nicht mehr.“
„Warum nicht?“, fragt Paul.
„Ich habe kein Geld mehr.“
Herr Rossmann bellt. Kein Hut für Anja, aber er hat eine coole Sonnenbrille.

1 : Hut der, -e

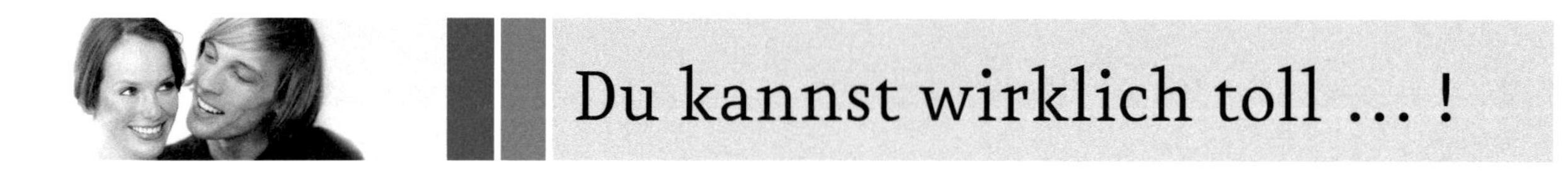

Du kannst wirklich toll ... !

KB 4 **1** **Freizeitaktivitäten**

WÖRTER

a Notieren Sie.

1 RITAGER LENPISE *Gitarre spielen*
2 NEGINS ______
3 KNECBA ______
4 NESINT PELIESN ______
5 MESCHINMW ______
6 KIS NEHFAR ______
7 NOCHEK ______

b Ordnen Sie die Wörter aus a zu. Ergänzen und vergleichen Sie.

Deutsch	Englisch	Meine Sprache oder andere Sprachen
	to cook	
	to ski	
Gitarre spielen	to play the guitar	
	to swim	
	to bake	
	to play tennis	
	to sing	

KB 5 **2** **Ergänzen Sie *können* in der richtigen Form.**

STRUKTUREN

a Meine Schwester Lisa *kann* sehr gut malen.
b Mama und Papa ______ gut tanzen. Sie tanzen sehr gern und oft.
c Mein Bruder Tobias ______ super Fußball spielen.
d Oma und Opa ______ sehr gut Schach spielen.
e Und wir ______ alle gut schwimmen.
f Und ich? Ich ______ nicht gut malen, nicht tanzen, nicht Fußball spielen ...

KB 5 **3** **Markieren Sie das Satzende. Schreiben Sie die Sätze und ergänzen Sie die Satzzeichen.**

STRUKTUREN

dukannstwirklichsehrguttanzenkönntihrschwimmenichkannnichttennis spielenkönnendeinekinderschachspielendukannstsuperfußballspielenkann mariagutkochensiekannsehrgutsingen

a *Du | kannst | wirklich sehr gut | tanzen.*
b *| Könnt | ... |*

KB 5 **4** **Schreiben Sie Sätze mit *können* auf Kärtchen. Tauschen Sie dann mit Ihrer Partnerin / Ihrem Partner. Sie/Er legt den Satz.**

ihr *gut* *schwimmen* *Könnt* *?*

BASISTRAINING

KB 6

5 Wer kann was? Kreuzen Sie an.

WÖRTER

a Sie kann ◯ toll ◯ nicht so gut Ski fahren.

b Er kann X sehr gut ◯ gar nicht schwimmen.

c Sie kann ◯ gut ◯ nicht gut singen.

d Er kann ◯ sehr gut ◯ ein bisschen Rad fahren.

KB 8c

6 Ergänzen Sie den Chat.

KOMMUNIKATION

Leider kann ich nicht Ski fahren | Was sind deine Hobbys | ~~Und was machst du so in der Freizeit~~ | das macht Spaß | Spielst du nicht gern Fußball

Rolli2000: *Und was machst du so in der Freizeit*?
sugar-333: Ich spiele gern Fußball.
Rolli2000: Wirklich? Aber du bist doch eine Frau? Oder??? :)
sugar-333: Na klar! Frauen können auch Fußball spielen, oder? ____________________?
Rolli2000: Nein, nicht so gern.
sugar-333: ____________________?
Rolli2000: Ich fahre gern Ski und sehr oft Rad.
sugar-333: ____________________. :(
Aber ich fahre auch gern Rad und ich lerne Boxen.
Rolli2000: Wow! Boxen!
sugar-333: Ja, ____________________!!! Aber ich kann noch nicht gut boxen. Keine Angst! :)

KB 8c

7 Ordnen Sie zu.

STRUKTUREN

fast nie | oft | immer | ~~nie~~ | manchmal

100% ———————————————— 0%

a ________ b ________ c ________ d ________ e *nie*

KB 8c

8 Ergänzen Sie *a/ä* oder *e/ie*.

STRUKTUREN

a ■ Ich mache viel Sport. Ich spiele Fußball und f*a*hre Ski. F__hrst du auch Ski?
▲ Sport? Nein. Ich l__se lieber. Und höre viel klassische Musik. Was l__st du so?
■ Ich l__se gern Krimis.

b ▲ Was macht ihr heute Abend?
■ Wir tr__ffen Carla.
▲ Tr__fft ihr auch Paul und Lisa?
■ Ja, wir gehen ins Kino.

KB 8c

9 Lesen Sie die Interviews.

LESEN

a Was passt am besten zu wem? Kreuzen Sie an.

	Musik	Natur	Sport	Filme
Jule		X	X	
Peter				

	Musik	Natur	Sport	Filme
Lisa				
Leon				

Freizeit – Spaß oder Langeweile?

Wir haben Jugendliche gefragt: Was ist dein Lieblingshobby?

Jule

Ich mache gern Ausflüge in die Berge. Frische Luft, die Natur ... da geht es mir einfach gut! Das finde ich schön. Fast immer treffe ich Freunde und wir gehen zusammen wandern. Im Sommer fahre ich oft Rad. An einen See oder so ... schwimmen. Ich bin gern draußen.

Peter

Ich bin einfach auch gern mal alleine. Ich höre Musik oder ich lese ein Buch. Oder ich schaue Filme. Das macht mir auch total viel Spaß. Ich bin ein Filmfreak. Ich gehe auch sehr oft ins Kino oder sehe zu Hause eine DVD. Oft auch mit Freunden.

Lisa

Meine Freundin und ich sind in einem Chor. Ich singe für mein Leben gern. Ich spiele auch Gitarre und höre sowieso sehr viel Musik. Ein Leben ohne Musik – das geht gar nicht!

Leon

Singen, malen, Schach spielen – das ist alles nichts für mich! Ich mache unglaublich viel Sport. Ich fahre im Winter Ski. Im Sommer fahre ich viel Rad, jogge pro Tag eine Stunde. Zweimal pro Woche spiele ich Fußball in einem Verein. Im Urlaub gehe ich surfen oder schwimmen.

b Kreuzen Sie an.

		richtig	falsch
1	Jule geht gern in den Bergen wandern.	○	○
2	Peter sieht immer alleine Filme.	○	○
3	Lisa macht viel Musik und hört fast nie Musik.	○	○
4	Leon macht fast nie Sport.	○	○

KB 10

10 Ordnen Sie zu.

KOMMUNIKATION

~~Ja, natürlich.~~ | Nicht so gern. | Nein, das geht leider nicht. | Ja, klar. | Ja, gern. | Nein, tut mir leid.

● Gehen wir heute Abend ins Kino? Hast du Lust?

😊	☹
■ Ja, natürlich	▲ ______
■ ______	▲ ______
■ ______	▲ ______

TRAINING: SCHREIBEN

1 Eine E-Mail beantworten

a Markieren Sie die Fragen von Lisa.

TIPP
Sie beantworten eine E-Mail, einen Brief oder eine SMS. Lesen Sie den Text genau. Markieren Sie die Fragen und machen Sie dann Notizen für Ihre Antwort.

An: Lisa Sammer
Kopie: sommercamper@uni-fs.de
Betreff: Freizeitprogramm
Signatur: Arbeit

Hallo liebe Studentinnen und Studenten der Uni Freiburg und Straßburg,
ich heiße Lisa und organisiere das Freizeitprogramm beim Sommercamp in Straßburg. Ich möchte Euch fragen: Wie alt seid Ihr? Woher kommt Ihr und welche Sprachen sprecht Ihr? Was macht Ihr gern in der Freizeit? Welche Hobbys habt Ihr?
Bitte schreibt mir kurz eine E-Mail.

Ich freue mich sehr auf das Sommercamp mit Euch! Wir haben bestimmt viel Spaß zusammen! Bis bald!
Viele Grüße
Lisa

b Machen Sie Notizen für Ihre Antwort an Lisa. Arbeiten Sie auch mit dem Wörterbuch.

Alter:
Herkunft:
Sprachen:
Freizeit/Hobbys: ins Kino gehen, ...

c Schreiben Sie nun eine E-Mail an Lisa.

Liebe Lisa,
vielen Dank für Deine E-Mail.
Mein Name ist ________ und ich bin ________ Jahre alt.
Ich komme ________________.
Ich spreche ________________.
In der Freizeit ________________.
Ich freue mich auch sehr auf das Sommercamp!

Viele Grüße

TRAINING: AUSSPRACHE *Wandernder Satzakzent*

▶ 1 34

1 Hören Sie und sprechen Sie nach.

Spielen
Schach spielen
Ich kann Schach spielen.
Ich kann gut Schach spielen.
Ich kann sehr gut Schach spielen.

2 Lesen Sie noch einmal Übung 1 und kreuzen Sie an: Was ist richtig?

REGEL

Der Satzakzent ist
○ immer auf dem letzten Wort, zum Beispiel: Ich kann gut singen.
○ auf der wichtigen Information: Ich kann gut Schach spielen. (Ich kann nicht gut Gitarre, Fußball ... spielen)

▶ 1 35

3 Hören Sie und markieren Sie den Satzakzent.

a ■ Was machst du in der Freizeit? ↘
▲ Ich höre gern Musik. ↘

b ■ Hörst du gern Musik? ↗
▲ Oh ja. ↘ Ich liebe Musik. ↘

c ■ Singst du gern? ↗
▲ Oh ja. ↘ Singen macht Spaß! ↘
■ Und kannst du auch singen? ↗
▲ Natürlich kann ich singen! ↘ Hör zu: ↘ ...

▶ 1 36 Hören Sie noch einmal und sprechen Sie nach.

TEST

1 Ergänzen Sie die Hobbys.

Wörter

a Hallo, ich heiße Eljesa. Meine Hobbys sind Musik hören (kusim nöher), ______ (zannte) und ______ ______ (rendeuf refften).

b Hallo, ich bin Jan. Meine Hobbys sind ______ ______ (luaßfbl elisnep) und ______ ______ (ard earnfh).

c Und wir sind Cora und Finnia. Wir ______ (senle) , ______ (trorognieeaff) und ______ (ckaben) gern.

_ / 7 Punkte

2 Was macht Niklas in seiner Freizeit? Ergänzen Sie.

Wörter

sehr oft | nie | oft | ~~manchmal~~

Mo: Fußball spielen, im Internet surfen
Di: Fußball spielen
Mi: im Internet surfen
Do: Fußball spielen
Fr: ins Kino gehen

Niklas geht manchmal (a) ins Kino. ______ (b) surft er im Internet. Er spielt ______ (c) Schach, aber er spielt ______ (d)Fußball.

_ / 3 Punkte

3 Ergänzen Sie die Verben in der richtigen Form.

Strukturen

a Du kannst gut backen. (können)
b Mein Sohn ______ nicht gern. (lesen)
c ______ du gern Auto? (fahren)
d ______ wir Fußball spielen? (können)
e ______ du heute deine Freunde? (treffen)

_ / 4 Punkte

4 Schreiben Sie Sätze.

Strukturen

a ■ Ich kann nicht kommen. ______ (kommen/nicht/ich/kann)
b ■ ______? (hören/Musik/ein/bisschen/wir/können)
c ■ ______. (toll/wirklich/er/kochen/kann)
d ■ ______? (Tennis/könnt/ihr/spielen)
e ■ ______. (nicht/leider/kann/mein Freund/Ski fahren)

_ / 4 Punkte

5 Komplimente machen und sich bedanken. Ergänzen Sie.

Kommunikation

a ■ Sie können wirklich super schwimmen.
▲ H______ Dank!

b ■ Deine Augen sind so schön.
▲ Oh, d______.

c ■ Wow! Du kannst t______ backen.
▲ V______ Dank.

d ■ Du kannst sehr g____ tanzen.
▲ Danke s______ !

_ / 6 Punkte

Wörter	Strukturen	Kommunikation
0–5 Punkte	0–4 Punkte	0–3 Punkte
6–7 Punkte	5–6 Punkte	4 Punkte
8–10 Punkte	7–8 Punkte	5–6 Punkte

www.hueber.de/menschen/lernen

LERNWORTSCHATZ

1 Wie heißen die Wörter in Ihrer Sprache? Übersetzen Sie.

Freizeit und Hobbys

Ausflug der, ¨-e
Film der, -e
Freizeit die
Hobby das, -s
Kino das, -s
Lieblings-
  Lieblingsfilm der, -e

backen
besuchen
treffen, du
  triffst, er trifft
fotografieren
kochen
lesen, du
  liest, er liest
lieben
malen
Musik die
  Musik hören
Rad fahren,
  du fährst Rad,
  er fährt Rad
  CH: Velo fahren
schwimmen
singen
spazieren gehen
spielen
  Fußball/Tennis/
  Gitarre spielen
tanzen

> TIPP
> Lernen Sie Nomen und Verb zusammen.

Spaß machen
Freunde treffen/besuchen

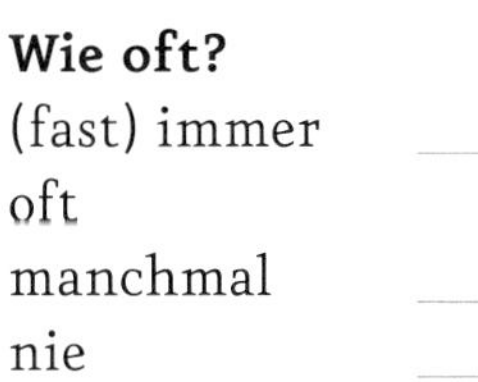

Wie oft?

(fast) immer
oft
manchmal
nie

Danken

Vielen Dank /
Herzlichen Dank!

Auf eine Bitte reagieren

klar
natürlich
leider
  das geht
  leider nicht
leidtun: tut
  mir leid

Weitere wichtige Wörter

Auto das, -s
Gespräch das, ¨-e
Internet das
  im Internet
  surfen
Natur die

Spaß machen
können
rauchen

gern
nicht so (gut)
Wie oft?

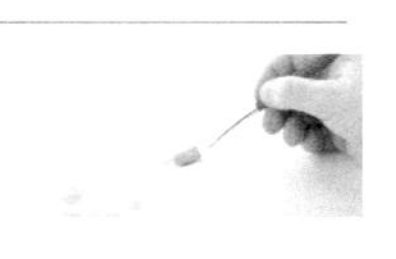

2 Welche Wörter möchten Sie noch lernen? Notieren Sie.

Kein Problem. Ich habe Zeit!

KB 4

1 Freizeitaktivitäten

WÖRTER

a Markieren Sie die Wörter.

LFEMPSCHWIMMBADLDHTPCBSMUSEUMVÜWBFRCCAFÉLZMSGWBORESTAURANT
LCGWVTKINONFAKFUEDISCOKTJWGKONZERTBWOVPTHEATERMKVJESBARLFJRBN

b Ergänzen Sie die Wörter aus a.

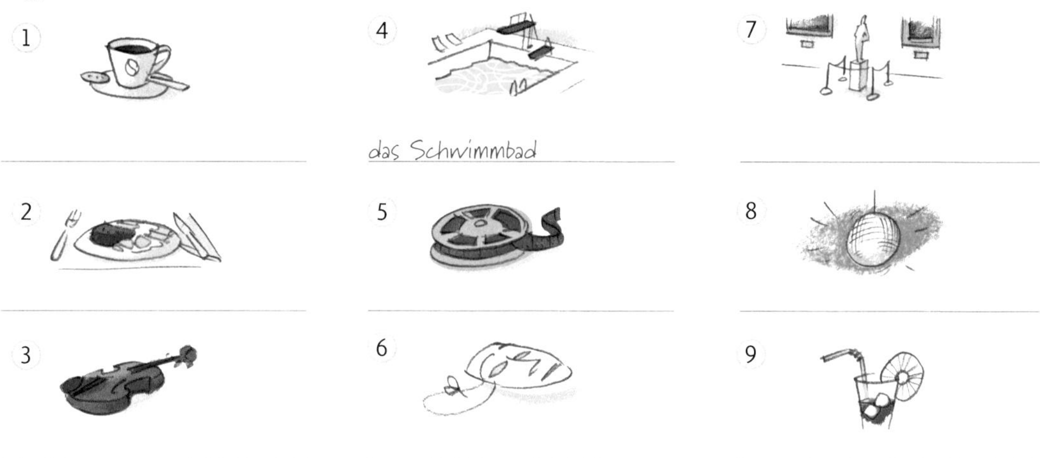

1 ________ 4 das Schwimmbad 7 ________

2 ________ 5 ________ 8 ________

3 ________ 6 ________ 9 ________

KB 4

2 Korrigieren Sie die SMS. Schreiben Sie die Wörter richtig.

WÖRTER

BELEI Judith, gehen wir heute MITCHANGTA ins NOKI?
Klaus

Liebe ________

LOHAL Klaus,
ich habe DIELER keine TIZE.
Liebe Grüße
Judith

____

KB 4

3 Lesen Sie die E-Mails. Schreiben Sie die Sätze neu und beginnen Sie mit den markierten Wörtern.

STRUKTUREN

Hallo Clara,
ich kann heute nicht in die Aurora-Bar kommen. Ich habe leider noch einen Termin mit meiner Chefin. Das tut mir sehr leid!
Ich habe am Wochenende Zeit. Du auch?
Viele Grüße Tina

Heute ________

Hi Elias,
ich gehe heute Nachmittag ins Schwimmbad. Kommst du mit?
Grüße Simon

____

KB 5 STRUKTUREN

4 Wie spät ist es? Ergänzen Sie.

		Im Gespräch	Im Radio/Fernsehen
		Es ist ...	Es ist ...
a	09:55	fünf vor zehn.	neun Uhr fünfundfünfzig
b	14:30		
c	17:10		
d	20:15		
e	11:45		
f	07:05		
g	15:50		
h	16:35		
i	09:25		

KB 7 KOMMUNIKATION

5 Ordnen Sie zu.

Da kann ich leider nicht. | ~~Das weiß ich noch nicht.~~ | Ja, bis dann. | Zwei Uhr ist okay. | Hm ... Ja, warum nicht? Wann denn?

- ■ Sag mal, was machst du am Freitag?
- ● Das weiß ich noch nicht.
- ■ Fährst du mit mir Rad? Hast du Lust?
- ● ______
- ■ Am Vormittag.
- ● ______ Aber am Nachmittag habe ich Zeit.
- ■ Gut. Treffen wir uns um vier Uhr?
- ● Das ist zu spät. Kannst du vielleicht auch um zwei?
- ■ ______
- ● Gut, dann bis Freitag.
- ■ ______ Tschüs!

KB 7 WÖRTER

6 Ergänzen Sie die Wochentage und vergleichen Sie.

Deutsch	Englisch	Meine Sprache oder andere Sprachen
Montag	Monday	
	Tuesday	
Mittwoch	Wednesday	
	Thursday	
	Friday	
	Saturday	
	Sunday	

KB 7 **7** **Ergänzen Sie die Tageszeiten.**

WÖRTER

A  B C 

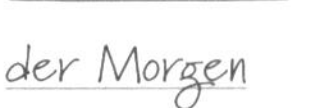
der Morgen ______ ______

D  E  F 

______ ______ ______

KB 7 **8** **Fridas Tag. Ordnen Sie zu und ergänzen Sie die Tageszeiten.**

STRUKTUREN

A 

B 

C 

D 

E 

F 

D Am Nachmittag trifft sie ihre Oma im Café.
○ ______ geht sie ins Kino.
○ ______ isst sie.
○ ______ trinkt sie Kaffee.
○ ______ geht sie in die Disco.
○ ______ schwimmt sie.

KB 7 **9** **Was machen Sie am nächsten Sonntag?**

Zeichnen Sie vier Aktivitäten und Uhren wie in 8.
Tauschen Sie mit Ihrer Partnerin / Ihrem Partner.
Schreiben Sie Sätze zu den Bildern.

KB 7 **10** **Hören Sie das Gespräch.**

▶ 1 37

HÖREN

a **Wo sind Lukas und Susanna? Kreuzen Sie an.**

○ im Kino ○ in der Kneipe ○ im Theater

die Kinokarte

b **Hören Sie noch einmal. Was ist richtig? Kreuzen Sie an.**

1 Lukas hat zwei ○ Kinokarten. ○ Theaterkarten.
2 Susanna geht ○ gern ○ nicht so gern ins Theater.
3 Lukas hat zwei Karten für ○ Samstagnachmittag. ○ Samstagabend.
4 Susanna geht am Samstag ○ um vier Uhr ○ um sieben Uhr ins Kino.
5 Sie treffen sich ○ um sieben ○ um Viertel vor acht in der Bar im Stadttheater.

TRAINING: LESEN

1 Lesen Sie die Aufgaben und die Anzeigen.

a Markieren Sie: Was? Wann?

b Welche Anzeige passt? Kreuzen Sie an.

TIPP: Sie suchen in Anzeigen nach einer bestimmten Information. Markieren Sie wie im Beispiel. So finden Sie die Information schneller.

A Sie suchen Freunde für Freizeitaktivitäten am Wochenende.

1 ○
Ich gehe oft am Abend schwimmen.
Allein macht es keinen Spaß. ☹
Wer kommt mit? sara33@o2.de

2 ○
Ich spiele gern Tennis, aber leider
nicht so gut. Wer spielt mit mir?
Nur Samstag oder Sonntag.
Tel: 030-445 76 81

B Sie sind Studentin und suchen einen Job im Büro.

1 ○
Sie lieben die Alpen?
Dann sind Sie bei uns richtig!
Hotel *Bergblick*
sucht Kellner/Kellnerin für Hotelbar.
Di-So 19-24 Uhr
info@Hotel-Bergblick.at

2 ○
Hotel Augusta in Innsbruck
sucht für das Sekretariat Aushilfe
für 10-15 Stunden pro Woche,
am Vormittag.
Wir freuen uns auf Ihren Anruf:
+43-256-5987-0

TRAINING: AUSSPRACHE *unbetontes „e"*

▶1 38 **1 Hören Sie und markieren Sie den Wortakzent.**

Morgen ○ – Abend ○ – Essen X – Viertel ○ – sieben ○ – Museum ○ – gehen ○

▶1 38 **Hören Sie noch einmal. Wo hören Sie das „e"? Kreuzen Sie an.**

2 Was ist richtig? Kreuzen Sie an.

REGEL

In betonten Silben (Museum) hört man das „e" gut.
○ Ja. ○ Nein.

In nicht betonten Silben (Viertel) hört man das „e" gut.
○ Ja. ○ Nein.

▶1 39 **3 Hören Sie.**

a
▲ Gehen wir morgen Abend essen? ↗
■ Wann? ↗
▲ Um Viertel vor sieben. ↘
■ Gute Idee. ↘

b
▲ Wie spät ist es? ↘
■ Viertel vor zehn. ↘ Warum? ↗
▲ Dann können wir ins Museum gehen. ↘ Um zehn! ↘
■ Ach nein. ↘ Keine Lust. ↘

▶1 40 **Hören Sie noch einmal und sprechen Sie nach.**

TEST

1 Ergänzen Sie die Orte.

WÖRTER

Ich gehe schon um 8 Uhr ins Schwimmbad (a). Schwimmen macht wirklich Spaß. Um 11 Uhr treffe ich meine Freundin im ______________ (b). Wir trinken zusammen einen Kaffee. Am Nachmittag gehen wir ins ______________ (c), aber ich finde den Film nicht so gut. Dann besuchen wir eine ______________ (d), die Bilder sind sehr schön und modern. Jetzt ist es 23 Uhr. Meine Freunde und ich tanzen in einer ______________ (e).

_ / 4 PUNKTE

2 Ergänzen Sie.

WÖRTER

Die __________ hat 7 __________. Sie heißen Montag, __________, __________, __________, __________, __________, __________.

_ / 4 PUNKTE

3 Ergänzen Sie die Uhrzeit und die Tageszeit.

WÖRTER

	a 07:45	b 10:50	c 15:15	d 19:25	e 23:30
Im Gespräch	Viertel vor acht				
Im Radio / Fernsehen					dreiundzwanzig Uhr dreißig
Tageszeit		Vormittag			

_ / 6 PUNKTE

4 Schreiben Sie die Sätze neu.

STRUKTUREN

Hallo Marion,
wir haben leider keine Zeit.
Thomas spielt heute Vormittag Tennis.
Ich treffe um 14 Uhr Anna.
Wir gehen am Abend ins Kino.
Können wir vielleicht am Sonntag fahren?

Leider haben wir keine Zeit.
Heute ______________________.
Um 14 Uhr ______________________.
Am Abend ______________________.
Vielleicht ______________________?

_ / 4 PUNKTE

5 Ergänzen Sie *um*, *am* oder *in*.

STRUKTUREN

a ■ Wann gehen wir ins Museum? ▲ Am Donnerstagabend.
b Mein Freund ist Arzt. Er arbeitet oft ______ der Nacht.
c Können wir ______ Sonntag nach Graz fahren?
d Meine Eltern kommen ______ Sonntag ______ 11:30 Uhr.

_ / 4 PUNKTE

6 Ergänzen Sie das Telefongespräch.

KOMMUNIKATION

Wann denn? | Da habe ich Zeit. | Hast du am Freitag Zeit? | Leider kann ich nicht. | Und am Samstag?

■ Hallo Paul, hier ist Annalena. ______________ (a) Vielleicht können wir ins Kino gehen.
▲ ______________________________ (b) Ich arbeite am Freitag.
■ ______________________________ (c)
▲ Samstag ist gut. ______________ (d) ______________ (e)
■ Um 20.30 Uhr.

_ / 5 PUNKTE

Wörter	Strukturen	Kommunikation
0–7 Punkte	0–4 Punkte	0–2 Punkte
8–11 Punkte	5–6 Punkte	3 Punkte
12–14 Punkte	7–8 Punkte	4–5 Punkte

LERNWORTSCHATZ

1 Wie heißen die Wörter in Ihrer Sprache? Übersetzen Sie.

In der Stadt
Ausstellung die, -en ______
Bar die, -s ______
Café das, -s ______
Disco die, -s ______
Kneipe die, -n ______
CH: Beiz die, -en; Wirtschaft die, en
A: Lokal das, -e; Beisel das, -
Konzert das, -e ______
Museum das, Museen ______
Restaurant das, -s ______
Schwimmbad das, ¨-er ______
Theater das, - ______

Uhrzeiten
Uhr die, -en ______
um ... (vier/ halb sechs) ______
Es ist 5/10 vor/ nach ... ______
halb ... ______
Viertel vor/nach ... ______
Bis vier! / Bis dann! ______

Tageszeiten
Morgen der, - ______
Vormittag der, -e ______
Mittag der, -e ______
Nachmittag der, -e ______
Abend der, -e ______
Nacht die, ¨-e ______

E-Mail/Brief
Liebe ... / Lieber ... ______
Liebe Grüße / Herzliche Grüße ______

Die Woche
Tag der, -e ______
Woche die, -n ______
Montag der, -e ______
Dienstag der, -e ______
Mittwoch der, -e ______
Donnerstag der, -e ______
Freitag der, -e ______
Samstag der, -e ______
Sonntag der, -e ______

Weitere wichtige Wörter
Essen das, - ______
Fernsehen das ______
Kaffee der ______
Radio das, -s ______

sehen ______
wissen ______

bald ______
besonders ______
höflich ↔ unhöflich ______
morgen ______
noch ______
noch nicht ______
spät ______
vielleicht ______

Warum (nicht)? ______
Keine Lust. ______
Lust auf ...? ______
Gute Idee! ______
Idee die, -n ______

TIPP
Lernen Sie Wörter – wenn möglich – als Reihe.

Montag – Dienstag – Mittwoch – ...
Vormittag – Mittag – Nachmittag – ...

2 Welche Wörter möchten Sie noch lernen? Notieren Sie.

______
______

Ich möchte was essen, Onkel Harry.

KB 3 **1** **Essen und Trinken. Wie heißen die Wörter auf Deutsch und in Ihrer oder in einer anderen Sprache? Ergänzen und vergleichen Sie.**

WÖRTER

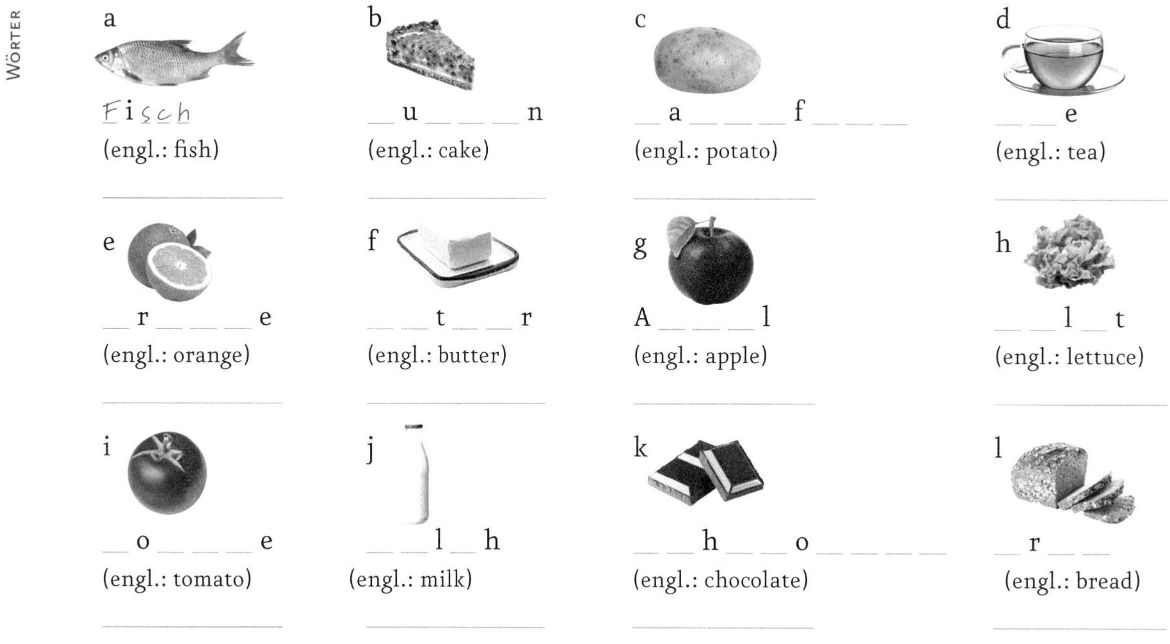

KB 3 **2** **Lebensmittel**

a Zeichnen Sie drei Lebensmittel auf Kärtchen.

b Tauschen Sie mit Ihrer Partnerin / Ihrem Partner. Sie/Er schreibt das deutsche Wort.

KB 3 **3** **Ergänzen Sie.**

STRUKTUREN

	mögen	essen
ich	mag	
du		
er/sie		

	mögen	essen
wir		essen
ihr		
sie/Sie		

KB 3 **4** **Was mag Jan?**

STRUKTUREN

Was isst und trinkst du gern zum Frühstück?
Name: Jan Weißmüller

Brötchen	☺ X	☹	Schinken	☺	☹ X	Müsli	☺ X	☹	Kuchen	☺ X	☹
Eier	☺	☹ X	Tee	☺ X	☹	Milch	☺	☹ X	Obst	☺ X	☹
Käse	☺ X	☹	Kaffee	☺ X	☹	Tomaten	☺ X	☹	Salat	☺	☹ X
Wurst	☺	☹ X									

Jan mag keine Eier, ____________________

Jan mag Brötchen, ____________________

KB 3 KOMMUNIKATION

5 Ordnen Sie zu.

mag ich auch gern | Isst du auch gern | isst du gern | esse ich sehr gern | ~~mögt ihr~~

■ Und was *mögt ihr* zum Frühstück?
▲ Hm … ich weiß nicht.
■ Julia, was ______________ zum Frühstück?
● Also, Brötchen mit Käse ______________!
Und Müsli mit Obst ______________ zum Frühstück.
■ ______________ Wurst oder Schinken?
● Ja, aber nicht zum Frühstück.
■ Gut, dann brauchen wir noch Obst und Käse.

KB 3 WÖRTER

6 Ergänzen Sie *schon* oder *erst*.

a ■ Was … es ist *schon* fünf vor vier?
▲ Warum? Was ist los?
■ Ich treffe Claudia um vier am Marktplatz.

b ■ So, ich gehe jetzt. Heute kommen meine Schwester und ihr Mann zum Essen.
▲ Wann kommen sie denn?
■ Um sieben Uhr.
▲ Aber es ist doch __________ fünf. Da hast du doch noch viel Zeit!

c ■ Was, du gehst __________ nach Hause? Es ist doch __________ elf Uhr.
▲ Ja, aber ich fahre morgen um sechs Uhr nach Hamburg.
■ Okay, dann gute Nacht und vielen Dank für deinen Besuch.

KB 4 STRUKTUREN

7 Ergänzen Sie *möchte-* in der richtigen Form.

■ Was *möchtet* (a) ihr?
▲ Wir __________ (b) bitte zwei Brötchen.
■ Mit Schinken oder Käse?
▲ Ich __________ (c) bitte ein Käsebrötchen.
Und du Jonas, was __________ (d) du?
● Ein Schinkenbrötchen bitte.

KB 5 KOMMUNIKATION

8 Welche Antwort passt? Kreuzen Sie an.

a Guten Appetit!
○ Nein, danke.
○ Danke, gleichfalls.

b Mögen Sie Fisch?
○ Bitte nein.
○ Nein, nicht so gern.

c Möchten Sie noch etwas Kuchen?
○ Ja, ebenfalls.
○ Ja, gern.

d Wie schmeckt die Suppe?
○ Sehr gut, danke.
○ Gut. Bitte sehr.

KB 6 **9** **Wie heißen die Wörter?**

WÖRTER

TERMIN | BROT | SALAT | BRÖTCHEN | ~~LAMPE~~ | OBST | STUHL | KÄSE | WURST | KALENDER
~~TISCH~~ | BÜRO

a

die Tischlampe

c

e

b

d

f

KB 7 **10** **Lesen Sie die Speisekarte.**

LESEN

a **Ordnen Sie zu.**

Hauptgerichte | Desserts | Vorspeisen | ~~Getränke~~

b **Was essen und trinken die Personen? Markieren Sie in der Speisekarte und schreiben Sie die Rechnung.**

RESTAURANT *Zur schönen Aussicht*

Rechnung

Fisch mit Reis	6,80 €

RESTAURANT

Zur schönen Aussicht

Öffnungszeiten: Dienstag – Sonntag 11 bis 24 Uhr
Montag Ruhetag

________________:

Kartoffelsuppe mit Brot	3.80 €
Zwiebelsuppe mit Käse überbacken	3.50 €
Tomatensuppe mit Sahnehäubchen	3.80 €

________________:

Schweinebraten mit Knödel	9.80 €
Fisch mit Reis	6.80 €
Wiener Schnitzel mit Kartoffelsalat	9.80 €
Großer Salat mit Schinken	7.90 €

________________:

Warmer Apfelstrudel mit Vanilleeis	4.80 €
Obstsalat	
gemischtes Eis	3.50 €
Schokoladenkuchen hausgemacht	2.50 €

Getränke:

Bier 0.3 l	2.80 €
Mineralwasser 0.4 l	2.80 €
Apfelsaft 0.4 l	3.20 €
Orangensaft 0.4 l	3.20 €
Cola 0.2 l	2.80 €

TRAINING: SPRECHEN

1 Sie sprechen mit Freunden über das Thema „Essen und Trinken".

a Suchen Sie Wörter.

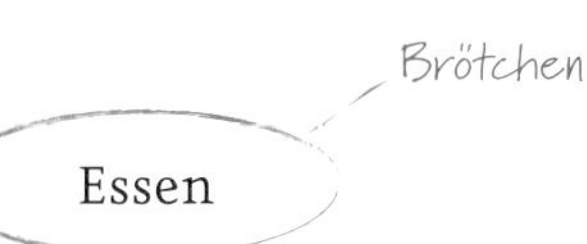

b Finden Sie Fragen.

Was trinkst du immer zum Frühstück?
Isst / Trinkst du gern ...?
Magst du ...?
Was ist dein Lieblingsessen?

TIPP
Machen Sie sich Notizen zu wichtigen Themen (z.B.: Essen, Freizeit ...). Sammeln Sie Wörter zu diesen Themen und überlegen Sie mögliche Fragen. So fühlen Sie sich sicher.

2 Sprechen Sie mit Ihrer Partnerin / Ihrem Partner. Verwenden Sie dabei die Kärtchen.

Thema: Essen und Trinken	Thema: Essen und Trinken	Thema: Essen und Trinken
Tee	*Käse*	*Lieblingsessen*
Thema: Essen und Trinken	Thema: Essen und Trinken	Thema: Essen und Trinken
Salat	*Frühstück*	*Kuchen*

■ Trinkst du gern Tee?
▲ Ja, oft.

▲ Was isst du gern zum Frühstück?
■ Ich frühstücke nur am Wochenende. Ich ...

TRAINING: AUSSPRACHE *Wortakzent bei Komposita*

▶ 1 41 **1 Hören Sie und markieren Sie den Wortakzent.**

a Kartoffel – Salat – Kartoffelsalat
b Käse – Brötchen – Käsebrötchen
c Zwiebel – Suppe – Zwiebelsuppe
d Obst – Kuchen – Obstkuchen
e Zitrone – Eis – Zitroneneis

▶ 1 42 Hören Sie noch einmal und sprechen Sie nach.

2 Suchen Sie im Kursbuch (im Wörterbuch, in der alphabetischen Wortliste) fünf weitere Wörter. Sprechen Sie die Wörter. Achten Sie auf den Wortakzent.

TEST

1 Ordnen Sie zu.

WÖRTER

Ei | Orangen | Suppe | Braten | ~~Kuchen~~ | Tee | Äpfel | Zitronen | Sahne

a ■ Guten Tag. Was möchten Sie?
▲ Ein Stück Kuchen mit ______ bitte.
b ■ Mama, können wir einen Obstsalat machen?
▲ Gute Idee! Wir brauchen ______, ______ und ______.
c ■ Ich esse gern Müsli zum Frühstück, und du?
▲ Ich esse immer Brot mit Wurst und Käse und manchmal auch ein ______.
d ■ Hier ist der ______ mit Salat. Guten Appetit!
e ▲ Ich koche eine ______ mit Kartoffeln und Tomaten.
f ■ Möchten Sie etwas trinken? ▲ Oh ja! Einen ______ bitte.

_ / 8 PUNKTE

2 Wie heißen die Artikel? Bilden Sie neue Wörter.

STRUKTUREN

a	das Obst	___ Kuchen	→ ___ ______
b	___ Kartoffel	___ Brötchen	→ ___ ______
c	___ Apfel	___ Suppe	→ ___ ______
d	___ Schinken	der Salat	→ der Obstsalat

_ / 9 PUNKTE

3 Ergänzen Sie die Verben in der richtigen Form.

STRUKTUREN

a Was isst du gern zum Frühstück?
b Mö______ ihr einen Kaffee?
c Melanie ma______ keinen Braten.
d Ich es______ sehr oft Schokolade.
e Mö______ Sie einen Salat mit Schinken und Ei?

_ / 4 PUNKTE

4 Was ist richtig? Kreuzen Sie an.

KOMMUNIKATION

a ■ Möchten Sie ein Eis?
○ ▲ Ja, gleichfalls! ○ ▲ Oh ja, bitte! ○ ▲ Nein, bitte!

b ■ Guten Appetit!
○ ▲ Nein, gleichfalls! ○ ▲ Danke, ebenfalls! ○ ▲ Ja, gleichfalls!

c ■ Hier ist die Suppe. Möchten Sie auch einen Salat?
○ ▲ Nein, bitte! ○ ▲ Danke, bitte! ○ ▲ Nein, danke!

d ■ Frühstücken wir zusammen?
○ ▲ Ja, gern! ○ ▲ Ja, gleichfalls! ○ ▲ Ja, danke!

e ■ Magst du Fisch?
○ ▲ Bitte, nein! ○ ▲ Nein, gern. ○ ▲ Nein, nicht so gern.

_ / 5 PUNKTE

Wörter	Strukturen	Kommunikation
0–4 Punkte	0–6 Punkte	0–2 Punkte
5–6 Punkte	7–10 Punkte	3 Punkte
7–8 Punkte	11–13 Punkte	4–5 Punkte

LERNWORTSCHATZ

1 Wie heißen die Wörter in Ihrer Sprache? Übersetzen Sie.

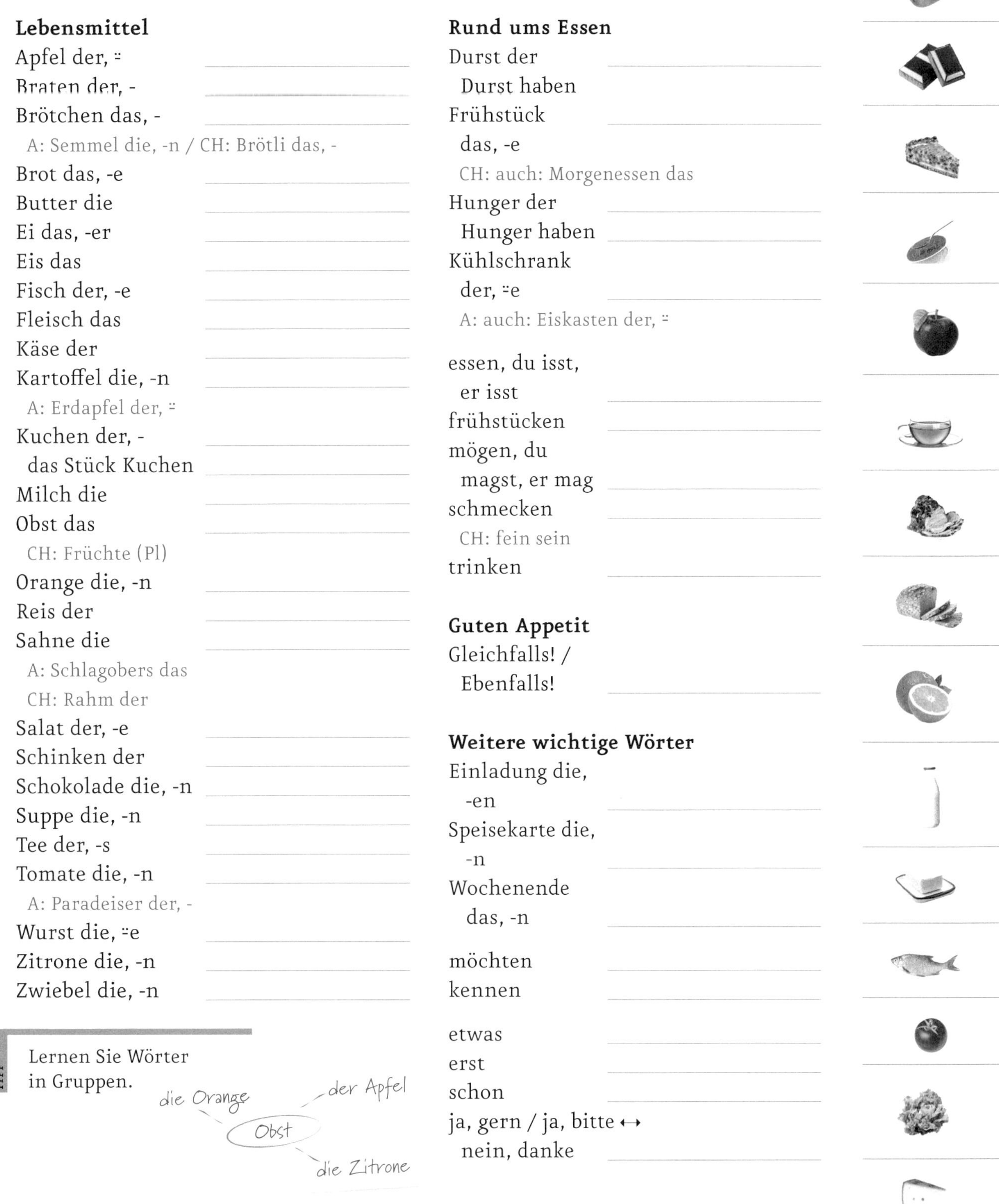

Lebensmittel

Apfel der, ¨
Braten der, -
Brötchen das, -
A: Semmel die, -n / CH: Brötli das, -
Brot das, -e
Butter die
Ei das, -er
Eis das
Fisch der, -e
Fleisch das
Käse der
Kartoffel die, -n
A: Erdapfel der, ¨
Kuchen der, -
das Stück Kuchen
Milch die
Obst das
CH: Früchte (Pl)
Orange die, -n
Reis der
Sahne die
A: Schlagobers das
CH: Rahm der
Salat der, -e
Schinken der
Schokolade die, -n
Suppe die, -n
Tee der, -s
Tomate die, -n
A: Paradeiser der, -
Wurst die, ¨e
Zitrone die, -n
Zwiebel die, -n

TIPP
Lernen Sie Wörter in Gruppen.

Rund ums Essen

Durst der
Durst haben
Frühstück das, -e
CH: auch: Morgenessen das
Hunger der
Hunger haben
Kühlschrank der, ¨e
A: auch: Eiskasten der, ¨

essen, du isst, er isst
frühstücken
mögen, du magst, er mag
schmecken
CH: fein sein
trinken

Guten Appetit

Gleichfalls! / Ebenfalls!

Weitere wichtige Wörter

Einladung die, -en
Speisekarte die, -n
Wochenende das, -n

möchten
kennen

etwas
erst
schon
ja, gern / ja, bitte ↔ nein, danke

2 Welche Wörter möchten Sie noch lernen? Notieren Sie.

WIEDERHOLUNGSSTATION: WORTSCHATZ

1 Wie heißen die Tage?

a Diese Tage beginnen mit einem M: *Mittwoch,* ____________________
b Diese Tage haben 7 Buchstaben: ____________________
c Diese Tage beginnen mit einem D: ____________________

2 Wie geht es weiter? Ordnen Sie zu.

Mittag | halb sieben | Vormittag | immer | Nacht | Viertel vor sieben | oft | Abend | Viertel nach sieben | Nachmittag | ~~manchmal~~

a nie – *manchmal* – __________ – __________
b Morgen – __________ – __________ – __________ – __________ – __________
c __________ – __________ – sieben – __________

3 Was machen die Personen? Schreiben Sie.

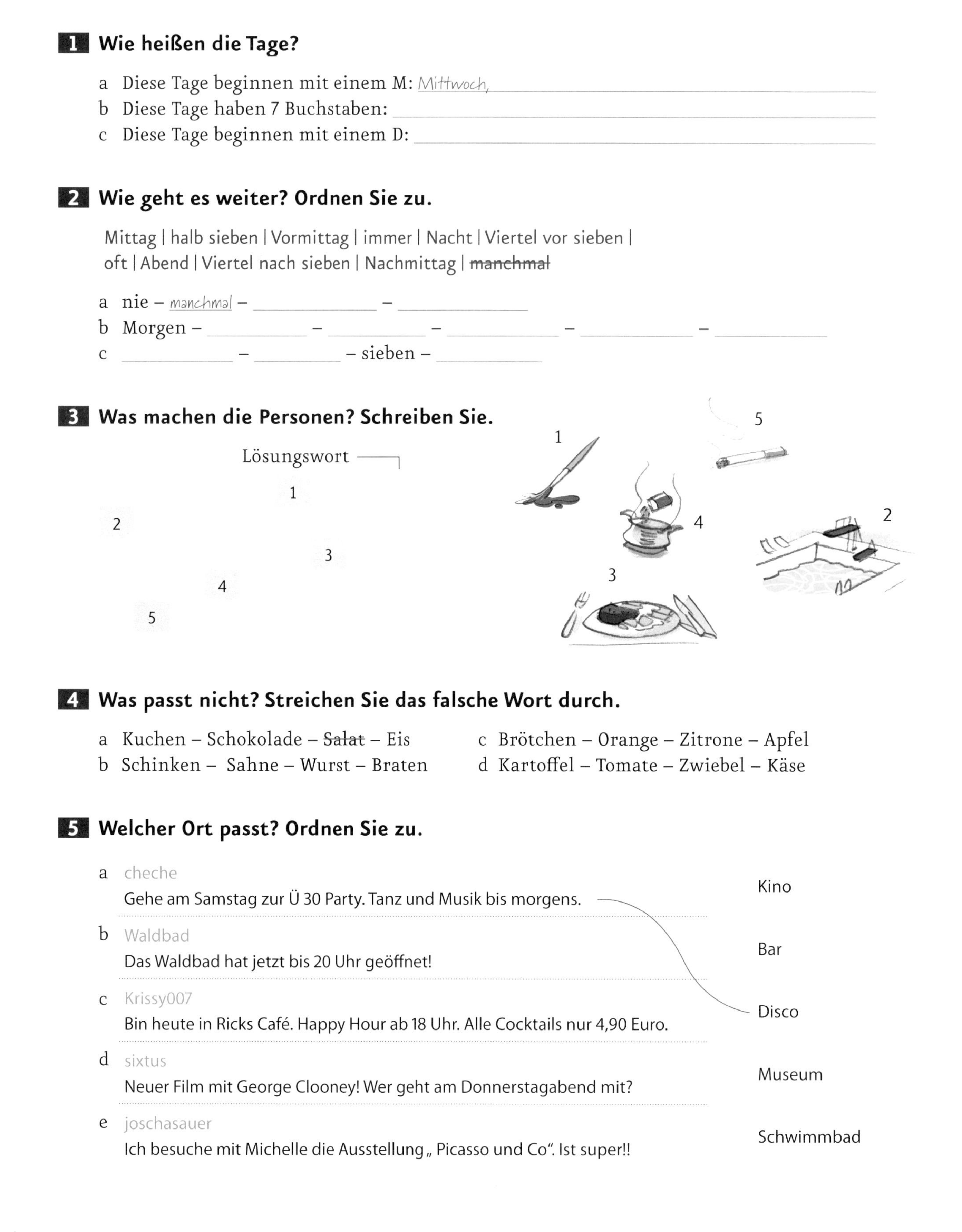

4 Was passt nicht? Streichen Sie das falsche Wort durch.

a Kuchen – Schokolade – ~~Salat~~ – Eis
b Schinken – Sahne – Wurst – Braten
c Brötchen – Orange – Zitrone – Apfel
d Kartoffel – Tomate – Zwiebel – Käse

5 Welcher Ort passt? Ordnen Sie zu.

a cheche
Gehe am Samstag zur Ü 30 Party. Tanz und Musik bis morgens.

b Waldbad
Das Waldbad hat jetzt bis 20 Uhr geöffnet!

c Krissy007
Bin heute in Ricks Café. Happy Hour ab 18 Uhr. Alle Cocktails nur 4,90 Euro.

d sixtus
Neuer Film mit George Clooney! Wer geht am Donnerstagabend mit?

e joschasauer
Ich besuche mit Michelle die Ausstellung „Picasso und Co". Ist super!!

Kino
Bar
Disco
Museum
Schwimmbad

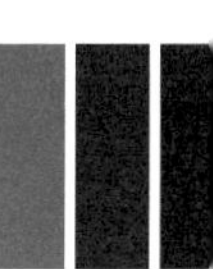

WIEDERHOLUNGSSTATION: GRAMMATIK

1 Was macht Paul diese Woche? Schreiben Sie.

MO	DI	MI	DO	FR	SA	SO
20:30 Kino mit Jan	Mittag: Essen mit Peter	Abend: Treffen Juliane	10:30 Mail schreiben	17:00 Tennis mit Ben	11:00 Rad fahren mit Susi	lange schlafen ☺ Abend: DVD sehen

Am Montag geht Paul um halb neun mit Jan ins Kino. Am Dienstagmittag ...

2 Ergänzen Sie die Verben im Chat in der richtigen Form.

CARLOS 1704 Deutsche Freunde gesucht!
Hallo, ich bin Carlos aus Barcelona und ich spreche Englisch, Deutsch und natürlich Spanisch. Ich mag Sport. Und ihr? (sprechen)

TS Hallo Carlos! Ich bin Teresa aus Salzburg. Ich mache auch viel Sport und ich lese gern. ______ du gern Ski? ______ du auch gern Bücher? (fahren – lesen)

CARLOS 1704 Nein, ich ______ keine Bücher. Tut mir leid ☺. Aber ich habe viele DVDs. ______ du auch gern Filme? (lesen – sehen)

TS Jaaaaaaa, sehr gern. Ich habe nicht viele DVDs. Aber ich gehe oft mit Freunden ins Kino. Wo ______ du denn deine Freunde? Auf dem Sofa zu Hause mit vielen DVDs ☺? (treffen)

CARLOS 1704 ... ☹

TS Entschuldigung. Hey, ______ du jetzt nicht mehr mit mir? (sprechen)

CARLOS 1704 Doch, Teresa, natürlich. Sorry.

3 Schreiben Sie Sätze. Beginnen Sie mit dem markierten Wort.

a Am Samstag möchte ich gern in die Disco gehen. — gehen – am Samstag – in die Disco – ich – möchten – gern
b ______? du – kommen – können – auch
c ______. ich – leider – können – kommen – nicht
d ______. ich – am Wochenende – fahre – nach Wien

4 Ergänzen Sie die Verben.

möchte | ~~magst~~ | Möchtest | magst

a ■ Magst du auch einen Orangensaft?
▲ Nein danke. Ich ______ jetzt nichts trinken.
b ■ Hallo Emma, du ______ doch die Gruppe Wise Guys, oder?
▲ Ja klar. Warum?
■ Ich habe für das Konzert am Freitag zwei Tickets und Christian hat keine Zeit. ______ du mitkommen?
▲ Sehr gern! Super!

SELBSTEINSCHÄTZUNG Das kann ich!

Ich kann jetzt ...

... Komplimente machen und mich bedanken: L07

▲ Du kannst ______ / ______ Gitarre spielen!

■ ______ / ______ Dank!

... über Hobbys sprechen: L07

▲ ______ sind deine Hobbys? ■ Meine Hobbys sind ______ und ______.

● Was ______ du in der Freizeit?

▼ Ich ______ gern.

... um etwas bitten: L07

▲ Kann ich ______?

■ ☺ ______. ☹ ______.

... mich verabreden: L08

▲ ______ Zeit? ■ ☺ Ja, ______ /

☹ Nein, ______ / ☺ ______ /

______.

... einen Vorschlag machen/annehmen/ablehnen: L08

▲ ______ wir ______?

■ ☺ Gute ______. / ☹ Tut ______. Ich ______.

... nach der Uhrzeit fragen und darauf antworten: L08

▲ Wie ______?

■ ______. 14:30

... bei Absagen mein Bedauern ausdrücken: L08

______ kann ich nicht kommen. /

______. Ich habe keine Zeit.

... über Essgewohnheiten sprechen: L09

▲ ______ ______ du gern zum Frühstück?

■ Ich ______. Und du?

▲ ______.

... beim Essen etwas anbieten und Angebote annehmen/ablehnen: L09

▲ ______ Sie einen Kaffee?

■ ☺ ______. ☹ ______.

Ich kenne ...

... 8 Freizeitaktivitäten: L07 / L08

Das mache ich gern:

______

Das mache ich nicht so gern:

______

Ich gehe gern ins / in eine / in einen:

______

Ich gehe nicht so gern ins / in eine / in einen:

______

SELBSTEINSCHÄTZUNG Das kann ich!

... die Tageszeiten und die Wochentage: L08

Am Morgen, ______

Montag, ______

... 8 Lebensmittel und Speisen: L09

Das esse / trinke ich gern: ______

Das esse / trinke ich nicht so gern: ______

Ich kann auch ...

... über Fähigkeiten sprechen (Modalverb: *können*, Satzklammer): L07

▲ ______? (Schach – können – ihr – spielen)

■ Nein, wir ______. (gar nicht)

... einen Zeitpunkt angeben (temporale Präpositionen *um*, *am*): L08

▲ Wann denn? ■ ______ Samstag ______ 19.00 Uhr.

... Informationen hervorheben/betonen (Inversion): L08

Ich kann am Sonntag nicht kommen.

Am Sonntag ______.

... Wörter kombinieren (Wortbildung): L09

• ______ • ______ ______

Üben / Wiederholen möchte ich noch ...

______

RÜCKBLICK

Wählen Sie eine Aufgabe zu Lektion 7

1 Freizeit

a Notieren Sie Aktivitäten. Hilfe finden Sie im Kursbuch auf den Seiten 42 und 43.

singen
backen
...

b Schreiben Sie Sätze. Was können Sie gut? Was können Sie nicht so gut?

Das kann ich gut:
Ich kann sehr gut singen.

Das kann ich nicht so gut:

2 Wählen Sie eine Person. Was kann die Person gut / nicht so gut? Schreiben Sie einen kleinen Text.

Heidi Klum kann gut singen.
Sie kann auch gut kochen.
Sie kann nicht so gut ...

RÜCKBLICK

Wählen Sie eine Aufgabe zu Lektion 8

1 Lesen Sie noch einmal den Kalender im Kursbuch auf Seite 89 oder 93.
Wählen Sie einen Wochentag aus. Was macht die Person an diesem Tag? Schreiben Sie.

Sie/Er geht am Mittwoch ...
Um ... Uhr ...

2 Ein perfektes Wochenende. Füllen Sie den Kalender aus und schreiben Sie.

SAMSTAG	SONNTAG
lange schlafen! ☺ 11 Uhr: schwimmen mit Lena	

Am Samstag schlafe ich lange.
Am Vormittag

Wählen Sie eine Aufgabe zu Lektion 9

1 Ein Frühstück für vier Personen
Was brauchen Sie? Sehen Sie im Kursbuch auf den Seiten 50 und 51 nach. Schreiben Sie einen Einkaufszettel.

4 Eier
Butter
...

2 Mein Lieblingsmenü. Machen Sie eine Speisekarte.

Vorspeise

Hauptspeise

Nachspeise

PAUL UND HERR ROSSMANN MACHEN FERIEN

Teil 3: Oh, ein Hut ...!

Paul und Anja sitzen im Restaurant. Sie lesen die Speisekarte.
„Was möchtest du essen, Paul?", fragt Anja.
„Ich weiß nicht ... was isst man in München?"
„Hmm ... Schweinebraten ist sehr gut."
„Dann esse ich Schweinebraten", sagt Paul. „Und du?"
„Ich habe nicht so viel Hunger. Ich esse nur eine Suppe."
Der Kellner kommt.
„Ich möchte gerne eine Zwiebelsuppe", sagt Anja.
„Und ich einen Schweinebraten ... und eine Cola", sagt Paul.
„Ja, für mich auch."
Herr Rossmann bellt.
„Ja, ich weiß, du möchtest auch etwas essen. Aber du bekommst erst später etwas. Tut mir leid!", sagt Paul.
Der Kellner kommt bald mit den Getränken.
„Paul, was machst du gern in deiner Freizeit?", fragt Anja.
„Hmm ... Ich treffe gerne Freunde, ich höre Musik, ich lese, ich gehe surfen ..."
Herr Rossmann bellt.
„Ja, natürlich, und ich gehe mit Herrn Rossmann spazieren."
Herr Rossmann bellt.
„Ich gehe sehr oft mit Herrn Rossmann spazieren. Und was machst du gern?"
Da kommt der Kellner mit dem Essen.
„Guten Appetit!", sagt er.
Paul und Anja essen.
„Der Schweinebraten ist sehr gut", sagt Paul. „Wie schmeckt die Suppe?"
„Auch gut."

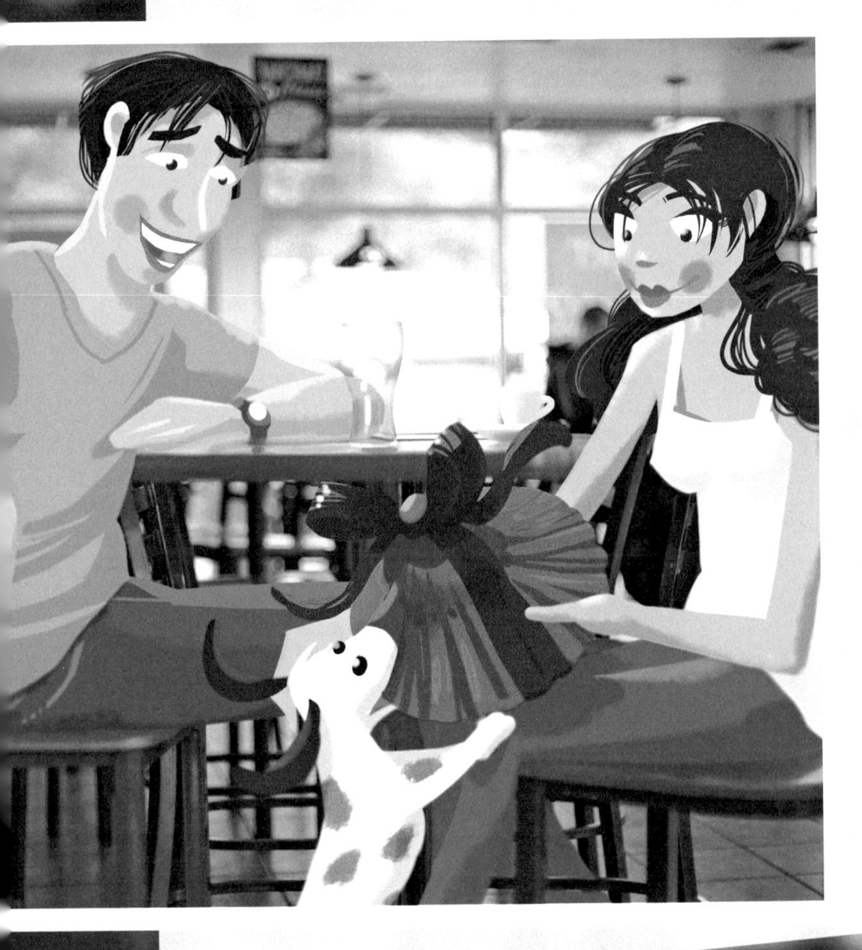

„Also, was sind deine Hobbys?" fragt Paul.
„Ich lese gern und höre Musik. Am Abend gehe ich manchmal in die Disco ..."
„Oh ja, Tanzen finde ich auch gut. Gehen wir nach dem Essen noch in die Disco?"
„Super Idee! ... Aber ... ich kann heute Abend leider nicht. Ich habe morgen um 7:30 Uhr einen Termin. Hast du morgen Abend Zeit?"
„Ja, morgen ist auch gut."
Der Kellner kommt wieder. Er fragt: „Möchten Sie noch ein Dessert? Oder einen Kaffee?"
„Ich nehme einen Espresso", sagt Anja. „Und einen Apfelkuchen."
„Ich möchte keinen Kaffee, danke", sagt Paul. „Haben Sie Schokoladenkuchen?"
„Ja, natürlich."
„Dann ein großes Stück Schokoladenkuchen, bitte!"
Herr Rossmann bellt.
„Ja, Herr Rossmann?"
Herr Rossmann bellt.
„Ach, wir haben ja noch etwas für Anja", sagt Paul.
„Was denn?"
Herr Rossmann bringt ein Päckchen zu Anja. Sie öffnet es.
„Oh ... ein Hut ... Er ist sehr schön. Danke!"
„Du musst ihn gleich aufsetzen!"
Herr Rossmann bellt. Er hat eine tolle Sonnenbrille und Anja hat jetzt auch einen tollen neuen Hut. Das ist gut, findet er.

Ich steige jetzt in die U-Bahn ein.

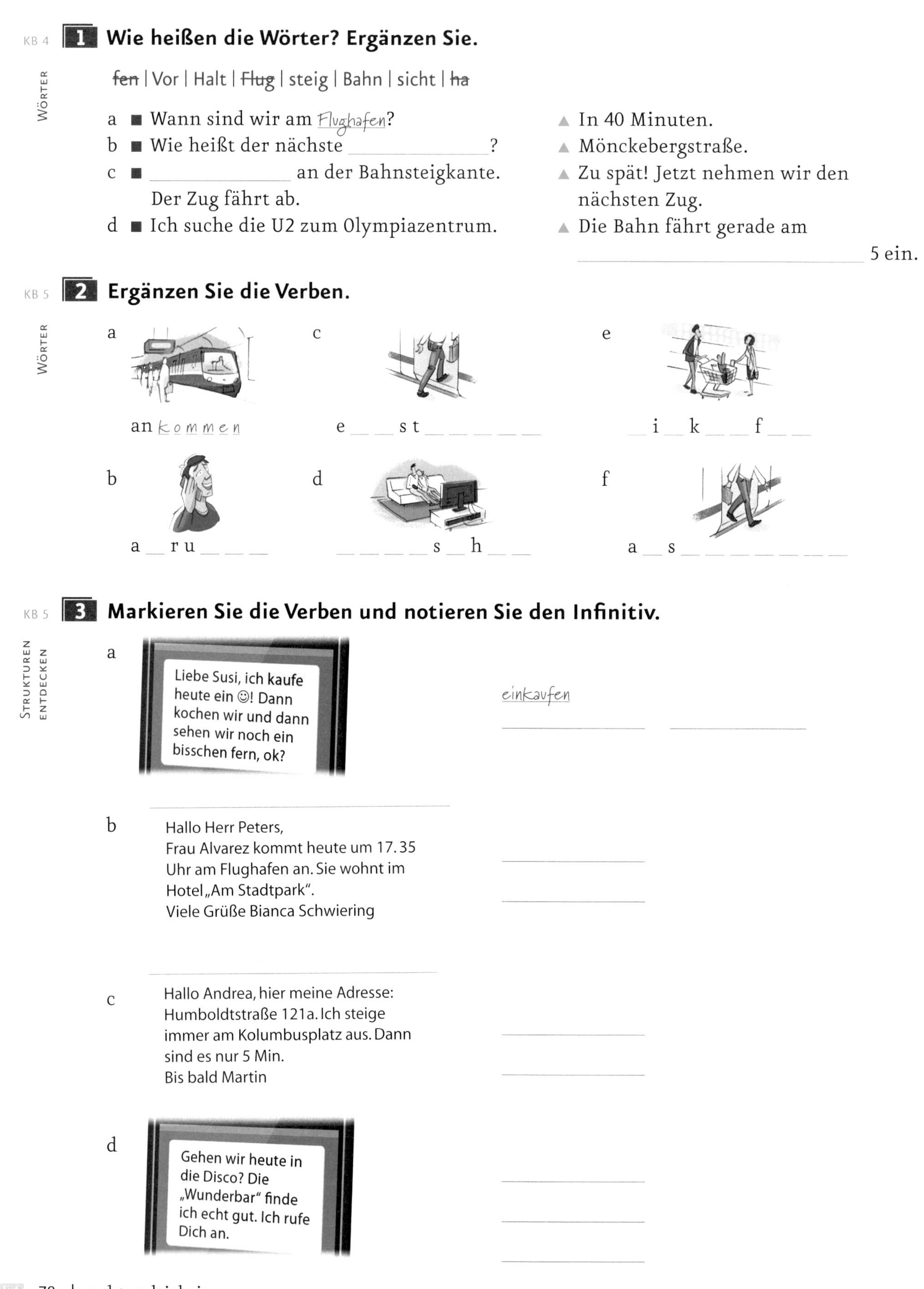

KB 4 WÖRTER

1 Wie heißen die Wörter? Ergänzen Sie.

~~fen~~ | Vor | Halt | ~~Flug~~ | steig | Bahn | sicht | ~~ha~~

a ■ Wann sind wir am Flughafen? ▲ In 40 Minuten.

b ■ Wie heißt der nächste ______? ▲ Mönckebergstraße.

c ■ ______ an der Bahnsteigkante. Der Zug fährt ab. ▲ Zu spät! Jetzt nehmen wir den nächsten Zug.

d ■ Ich suche die U2 zum Olympiazentrum. ▲ Die Bahn fährt gerade am ______ 5 ein.

KB 5 WÖRTER

2 Ergänzen Sie die Verben.

a an k o m m e n

b a _ r u _ _ _

c e _ _ s t _ _ _ _ _

d _ _ _ _ s _ h _ _

e _ i _ k _ _ f _ _

f a _ s _ _ _ _ _ _ _

KB 5 STRUKTUREN ENTDECKEN

3 Markieren Sie die Verben und notieren Sie den Infinitiv.

a Liebe Susi, ich kaufe heute ein ☺! Dann kochen wir und dann sehen wir noch ein bisschen fern, ok?

einkaufen ______ ______

b Hallo Herr Peters,
Frau Alvarez kommt heute um 17.35 Uhr am Flughafen an. Sie wohnt im Hotel „Am Stadtpark".
Viele Grüße Bianca Schwiering

______
______

c Hallo Andrea, hier meine Adresse: Humboldtstraße 121a. Ich steige immer am Kolumbusplatz aus. Dann sind es nur 5 Min.
Bis bald Martin

______
______

d Gehen wir heute in die Disco? Die „Wunderbar" finde ich echt gut. Ich rufe Dich an.

______
______
______

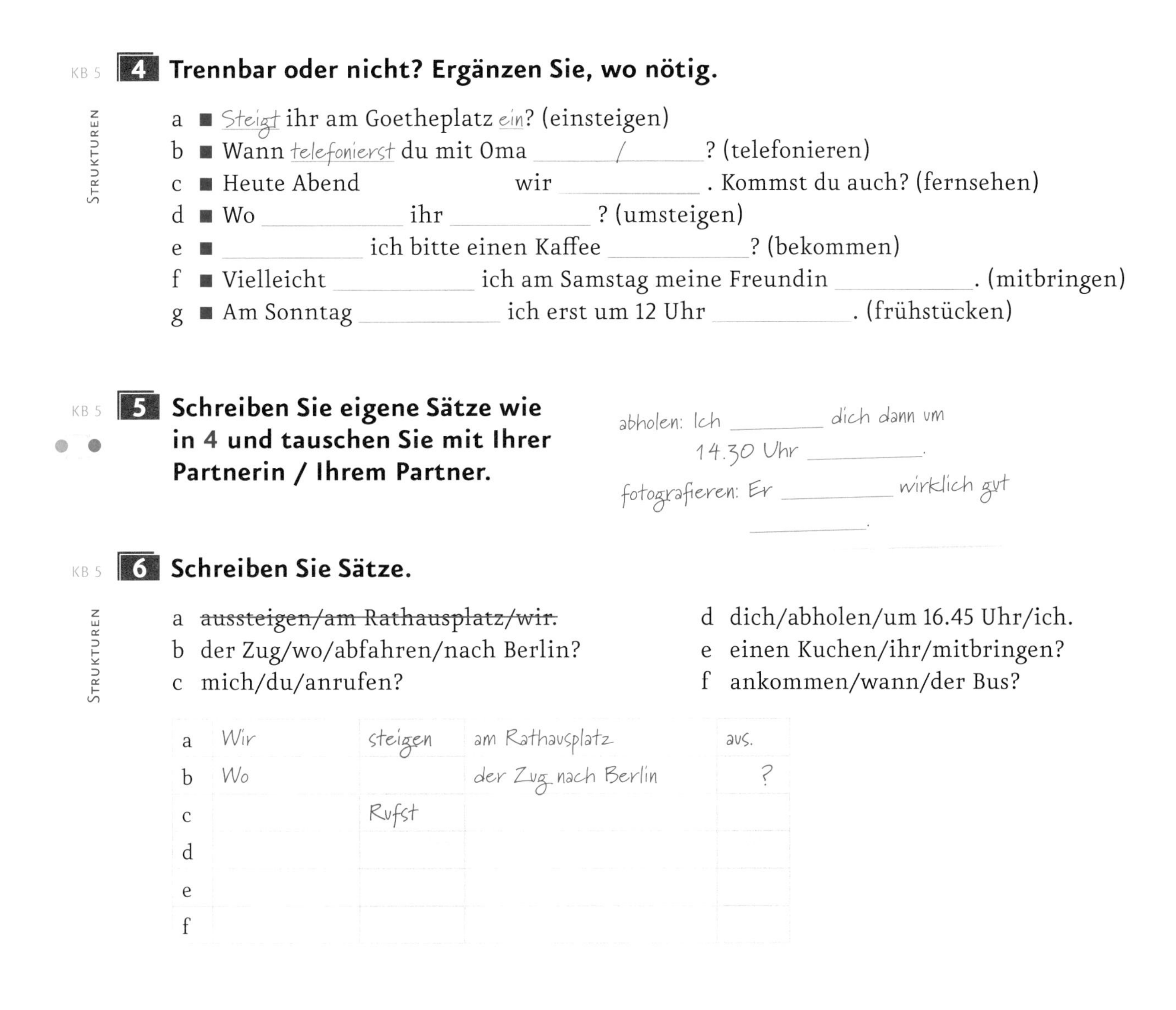

KB 5 **4** **Trennbar oder nicht? Ergänzen Sie, wo nötig.**

STRUKTUREN

a ■ Steigt ihr am Goetheplatz ein? (einsteigen)
b ■ Wann telefonierst du mit Oma _____ / _____? (telefonieren)
c ■ Heute Abend _____ wir _____. Kommst du auch? (fernsehen)
d ■ Wo _____ ihr _____? (umsteigen)
e ■ _____ ich bitte einen Kaffee _____? (bekommen)
f ■ Vielleicht _____ ich am Samstag meine Freundin _____. (mitbringen)
g ■ Am Sonntag _____ ich erst um 12 Uhr _____. (frühstücken)

KB 5 **5** **Schreiben Sie eigene Sätze wie in 4 und tauschen Sie mit Ihrer Partnerin / Ihrem Partner.**

abholen: Ich _____ dich dann um 14.30 Uhr _____.
fotografieren: Er _____ wirklich gut _____.

KB 5 **6** **Schreiben Sie Sätze.**

STRUKTUREN

a ~~aussteigen/am Rathausplatz/wir.~~
b der Zug/wo/abfahren/nach Berlin?
c mich/du/anrufen?
d dich/abholen/um 16.45 Uhr/ich.
e einen Kuchen/ihr/mitbringen?
f ankommen/wann/der Bus?

a	Wir	steigen	am Rathausplatz	aus.
b	Wo		der Zug nach Berlin	?
c		Rufst		
d				
e				
f				

KB 6 **7** **Fremd in der Stadt. Was denkt Jutta? Schreiben Sie.**

STRUKTUREN

Also, ich steige am Flughafen in die S-Bahn ein.
Am Hauptbahnhof _____
_____. Am Eifelplatz
_____ und _____
_____.

Zentrum Köln → „Schulz und Partner" (Praktikum Mo–Fr)
- am Flughafen in die S-Bahn einsteigen
- am Hauptbahnhof in die U-Bahn umsteigen
- am Eifelplatz aussteigen
- Frau Lerch anrufen

KB 7 | WÖRTER

8 Ergänzen Sie und vergleichen Sie.

Flugzeug | Taxi | Straßenbahn | ~~Zug~~ | U-Bahn | Bus

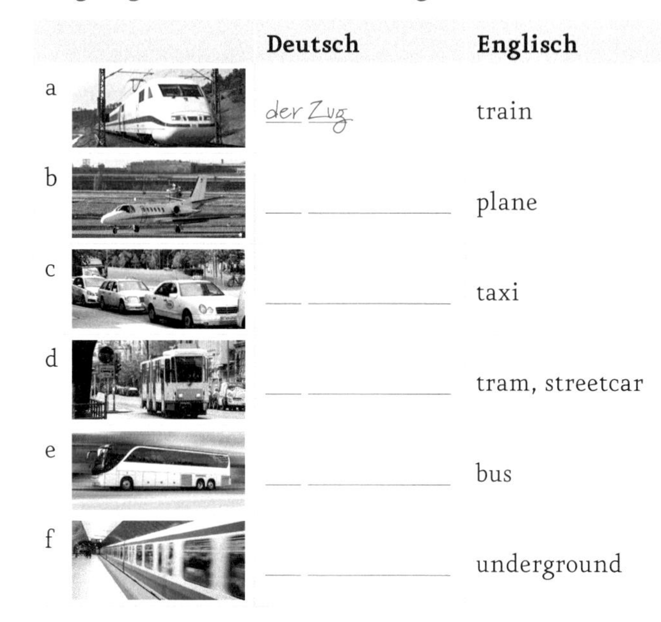

	Deutsch	Englisch	Meine Sprache oder andere Sprachen
a	der Zug	train	
b	___ ________	plane	
c	___ ________	taxi	
d	___ ________	tram, streetcar	
e	___ ________	bus	
f	___ ________	underground	

KB 7 | KOMMUNIKATION

9 Mike in München, Teil 1

Ordnen Sie die Fragen zu.

Wann kommst du? | Holst du mich ab? | Nimmst du den Zug? | ~~Hast du Zeit?~~

■ Hallo Tom, hier ist Mike.
▲ Hallo Mike, wie geht's?
■ Gut, danke. Ich bin nächste Woche in München und möchte dich gern besuchen. Hast du Zeit?
▲ Ja natürlich! ________________
■ Am Mittwoch, um 20:50 Uhr.
▲ ________________
■ Ja. Ich komme am Ostbahnhof an. ________________
▲ Na klar, gern. Ich arbeite bis 20 Uhr. Dann hole ich dich ab.
■ Danke, dann bis Mittwoch!

KB 7 | ▶ 1 43 | HÖREN

10 Mike in München, Teil 2

Hören Sie. Was ist richtig? Kreuzen Sie an.

a	Wann ist Mike in München?	○ Um 18:30 Uhr.	○ Um 19:00 Uhr.
b	Mike fährt	○ zum Flughafen.	○ nach Daglfing.
c	Er nimmt	○ die S-Bahn.	○ die U-Bahn.
d	Wie lange dauert die Fahrt?	○ 20 Minuten	○ 7 Minuten
e	Was bringt Mike mit?	○ Wurst	○ Brot

TRAINING: HÖREN

▶ 1 44-46 **1 Wo sind die Personen? Hören Sie und kreuzen Sie an.**

	Foto A	Foto B	Foto C
Durchsage 1	○	○	○
Durchsage 2	○	○	○
Durchsage 3	○	○	○

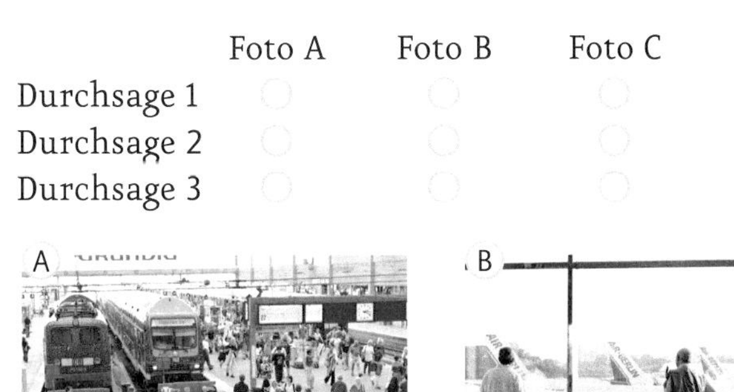

2 Durchsagen

a Lesen Sie die Aufgaben. Markieren Sie alle Zahlen und Uhrzeiten.

1
Die Passagiere von Flug 134 können jetzt einsteigen. ○
Die Passagiere von Flug 243 können jetzt einsteigen. ○

2
Die U5 fährt am Montag nur bis zum Ostbahnhof. ○
Der Bus Nr. 58 fährt am Montag nur bis zum Ostbahnhof. ○

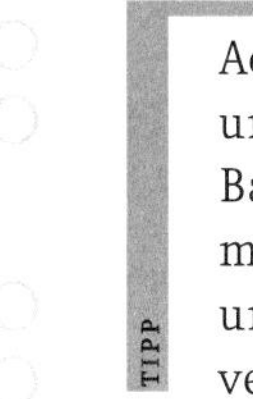

3
Der ICE 756 aus Hamburg kommt heute um 13:27 Uhr an. ○
Der ICE 756 aus Hamburg kommt heute um 13:50 Uhr an. ○

TIPP
Achten Sie auf Zahlen und Uhrzeiten. Am Bahnhof/Flughafen ... müssen Sie Zahlen und Zeiten richtig verstehen.

▶ 1 44-46 **b** Hören Sie noch einmal. Welche Sätze sind richtig? Kreuzen Sie in **a** an.

TRAINING: AUSSPRACHE *Wortakzent bei trennbaren Verben*

▶ 1 47 **1 Hören Sie und markieren Sie den Wortakzent.**

fahren – abfahren | kommen – ankommen | kaufen – einkaufen | sehen – fernsehen | bringen – mitbringen

▶ 1 48 Hören Sie noch einmal und sprechen Sie nach.

2 Richtig oder falsch? Kreuzen Sie an.

REGEL
Der Wortakzent ist bei trennbaren Verben auf dem trennbaren Wortteil.
○ richtig ○ falsch

▶ 1 49 **3 Hören Sie.**
Sprechen Sie dann.

Ich nehme heut' den Zug.
Einsteigen
Aussteigen
Umsteigen
Vorsicht an Gleis sieben!

Ich nehme heut' den Zug.
Abfahren
Ankommen
Anrufen
Holst du mich bitte ab?

TEST

1 Wie heißen die Wörter?

WÖRTER

~~hafen~~ | stelle | bahn | steig | hof | zeug

a Straßen______
b Flughafen / Flug______
c Bahn______ / Bahn______
d Halte______

_ / 5 PUNKTE

2 Ordnen Sie zu.

WÖRTER

Gleis | Koffer | U-Bahn | ~~Gepäck~~ | Taxi | Halt | Zug

a ■ Guten Tag, Herr Baltaci. Haben Sie Gepäck?
▲ Ja, zwei ______ und die Tasche.
b ■ Nächster ______ Königsplatz.
c ■ Wo fährt der ______ nach Stuttgart ab?
▲ Auf ______ 17.
d ■ Es ist schon sehr spät. Jetzt fährt keine ______ mehr.
▲ Dann nehmen wir ein ______.

_ / 6 PUNKTE

3 Ergänzen Sie das Gespräch.

STRUKTUREN

■ Guten Morgen Ella, hier ist Karin. Wo bist du?
▲ Hallo Karin. Ich steige gerade in den Zug ein (a). (einsteigen/in den Zug /gerade)
■ Wann ______ (b)? (du/ankommen)
▲ Um 09.35 Uhr am Ostbahnhof und um 09.45 Uhr am Hauptbahnhof.
■ Kannst du ______ (c)? (aussteigen/am Hauptbahnhof/bitte)
Ich ______ (d). (abholen/dich)
▲ Super, vielen Dank.
■ Jetzt ______ (e), (einkaufen/ich/Brötchen) dann können wir zusammen frühstücken.
▲ Gute Idee. Also dann, bis bald.

_ / 8 PUNKTE

4 Schreiben Sie vier Gespräche.

KOMMUNIKATION

Nehmt ihr ein Taxi? | ~~Wo fährt der Zug nach Köln ab?~~ | Ich habe leider keine Zeit. | Am Rathausplatz. | Um 09:45 Uhr. | Nein, die U-Bahn. | ~~Auf Gleis 15.~~ | Holst du mich ab? | Wann kommt der Zug an? | Wo steigst du um?

■ Wo fährt der Zug nach Köln ab?
▲ Auf Gleis 15.

■ ______
▲ ______

■ ______
▲ ______

■ ______
▲ ______

■ ______
▲ ______

_ / 4 PUNKTE

Wörter	Strukturen	Kommunikation
0–5 Punkte	0–4 Punkte	0–2 Punkte
6–8 Punkte	5–6 Punkte	3 Punkte
9–11 Punkte	7–8 Punkte	4 Punkte

www.hueber.de/menschen/lernen

LERNWORTSCHATZ

1 Wie heißen die Wörter in Ihrer Sprache? Übersetzen Sie.

Verkehr und Reisen

Bahnhof der, ¨-e ______
Bahnsteig der, -e ______
CH: das Perron, -s
Bus der, -se ______
Halt der, -e/-s ______
Haltestelle die, -n ______
Flughafen der, ¨ ______
Flugzeug das, -e ______
Gepäck das ______
Gleis das, -e ______
Koffer der, - ______
S-Bahn die, -en ______
Straßenbahn die, -en auch: Tram die, -s ______
Taxi das, -s ______
U-Bahn die, -en ______
Verkehrsmittel das, - ______
Zug der, ¨-e ______

ab·fahren, du fährst ab, er fährt ab ______
ab·holen ______
an·kommen ______
aus·steigen ______
ein·steigen ______
um·steigen ______

Weitere wichtige Wörter

Minute die, -n ______
Vorsicht die ______
zu Hause ______
Entschuldigen Sie. ______

an·rufen ______
bekommen ______
ein·kaufen ______
fern·sehen, du siehst fern, er sieht fern ______
mit·bringen ______
nehmen, du nimmst, er nimmt ______

also ______
also dann ______
gerade ______
nächste ______

viel ______
auf ______
auf Gleis 10 ______
bis ______
Bis bald! ______

TIPP

Sie lesen den Satz:
„Wir steigen dann in Flensburg in den Bus um."
Sie verstehen „steigen" nicht und suchen im Wörterbuch.
Achten Sie auch auf das Satzende.
Suchen Sie „umsteigen" im Wörterbuch.

2 Welche Wörter möchten Sie noch lernen? Notieren Sie.

______
______
______
______
______
______
______

Was hast du heute gemacht?

KB 3 **1 Was macht Lisa? Ergänzen Sie *um* – *am* – *von … bis* – *ab*.**

STRUKTUREN

MONTAG
7:00 frühstücken
8:00 arbeiten
18:00 – 19:00 einkaufen und kochen
20:00 Kino mit Klaus

_______ Montag frühstückt Lisa _______ 7 Uhr.
Ab 8 Uhr arbeitet sie.
_______ 18 _______ 19 Uhr kauft sie ein und kocht.
_______ Abend geht sie mit Klaus ins Kino.

KB 3 **2 Was machen Sie heute?**

Ergänzen Sie den Kalender. Ihre Partnerin / Ihr Partner schreibt einen kurzen Text wie in **1**.

KB 4 **3 Was machst du gern?**

WÖRTER

a Wie heißen die Verben?

NACHEM _______
FAHLESCN _______
HENFENERS fernsehen
RAFEHN _______
RUMAFUÄNE _______
NESEL _______
NELREN _______

STRUKTUREN

b Ergänzen Sie die Verben aus **a** in der richtigen Form.

1 Siehst du am Abend gern fern?
2 _______ du gern deine Wohnung _______?
3 _______ du am Wochenende lange?
4 _______ du gern Zeitung?
5 _______ du gern Fahrrad?
6 _______ du gern Deutsch?
7 _______ du gern Hausaufgaben?

KB 5 **4 Ergänzen Sie *haben* in der richtigen Form.**

STRUKTUREN

■ Haben (a) wir jetzt alles für die Party?
▲ Ich denke ja.
■ _______ (b) du auch Brot gekauft?
▲ Ja klar. Das _______ (c) ich doch heute Morgen schon gekauft.
■ Und wo ist der Geburtstagskuchen?
▲ Den Kuchen _______ (d) Julia gebacken. Sie bringt ihn heute Abend zur Party mit.
■ Sehr gut. Und was _______ (e) wir zu trinken?
▲ Wein, Mineralwasser und Saft.
■ Super! Und wo _______ (f) ihr das Geschenk für Julia?
▲ Das ist noch in Claudias Auto. Sie kommt um sechs Uhr und bringt es mit.
■ Gut, ich glaube, jetzt _______ (g) wir wirklich alles.

KB 5

5 Ergänzen Sie *haben* und das Partizip.

Strukturen entdecken

gelernt | gegessen | eingeladen | gebacken | ~~geschlafen~~ | gekauft | gelesen

a Am Sonntag habe ich lange geschlafen.
b Wo ______ Sie Deutsch ______?
c Ich ______ Kuchen ______.
d ______ du deine Schwester auch zu deiner Party ______?
e Was ______ ihr zum Mittagessen ______?
f Gestern ______ ich ein neues Fahrrad ______.
g Ich ______ heute noch nicht Zeitung ______.

KB 6

6 Wiederholung: Verben

Strukturen entdecken

Ordnen Sie zu und ergänzen Sie den Infinitiv.

~~gearbeitet~~ | gewohnt | geglaubt | gesucht | ~~gesprochen~~ | gekostet | gefunden | gesagt | gebraucht | geschrieben | gewusst | ~~eingeladen~~ | gelacht | gesungen | gefrühstückt | gelernt | geliebt | gesehen | getrunken | angerufen | ~~eingekauft~~ | genommen | aufgeräumt | geredet | gedacht

(...)ge...t	(...)ge...en
gearbeitet – arbeiten	gesprochen – sprechen
eingekauft – einkaufen	eingeladen – einladen

KB 6

7 Finden Sie die Partizipien und ergänzen Sie.

Strukturen

hört | ~~ge~~ | ge | spielt | troffen | ge | holt | ge | ab | ~~schrieben~~ | tanzt | ge | ge | kocht | ge

Dennis hat letzten Freitag ...

a eine E-Mail geschrieben,
b Musik ______,
c Tennis ______,
d seine Freundin am Bahnhof ______,
e Freunde in einem Café ______,
f Abendessen ______,
g in der Disco ______.

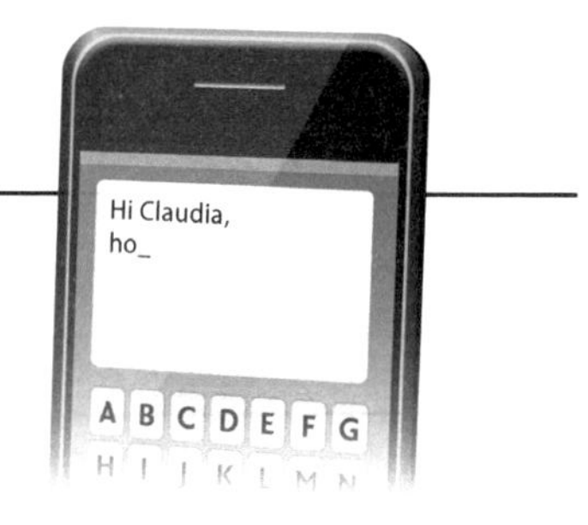

KB 6 **8** **Antworten Sie auf die SMS. Verwenden Sie das Perfekt.**

STRUKTUREN

~~einkaufen~~ | abholen | einladen | mitbringen

a

Hi Claudia,
holst Du bitte
Paula am Bahnhof ab?
Ich habe keine Zeit.
LG Max

Hallo Max,
ich ______ Paula schon
__________. Sie
_______ super Wein
__________!
Wir sind schon zu
Hause ☺
Grüße Claudia

b

Das ist sehr nett!
Essen wir heute
Abend zusammen?

Ja natürlich! Wir haben
eingekauft und
kochen jetzt.
Wir _______ auch
Susanne zum Essen
__________.
Okay? ☺

KB 7 **9** **Eine E-Mail aus Hamburg. Lesen Sie und kreuzen Sie an.**

LESEN

An: Chiara1312@freenet.de
Kopie: nina@aol.com
Betreff: neuer Job

Hallo Nina,

wie geht es Dir? Du hast so lange nicht geschrieben. Ist alles okay?

Ich habe im Mai bei einer neuen Firma als Marketing-Assistentin angefangen. Der Job ist sehr interessant und meine Kollegen sind sehr nett und lustig. In der Mittagspause essen wir immer zusammen, reden und lachen viel. Aber ich habe auch sehr viel Arbeit. Ich arbeite täglich von 8.30 Uhr bis 17.30 oder 18.00 Uhr und manchmal arbeite ich auch noch länger.

Nach der Arbeit gehe ich oft mit meinen Kolleginnen und Kollegen noch in eine Kneipe, ins Kino oder wir treffen uns bei meiner Kollegin Tamara. Sie hat eine sehr große und schöne Wohnung und sie kocht gern für viele Leute. Das finde ich super! Sie hat viele nette Freunde, wie zum Beispiel Rainer … aber mehr Info zu Rainer in der nächsten Mail …

Bitte schreib mir!

Herzliche Grüße
Chiara

Chiara …

	richtig	falsch
a hat eine neue Arbeit.	○	○
b hat viel Spaß mit ihren Kollegen.	○	○
c arbeitet jeden Tag bis 19 Uhr.	○	○
d geht am Abend immer mit ihren Kollegen in Kneipen.	○	○
e besucht gern ihre Kollegin Tamara.	○	○
f findet Rainer nett.	○	○

TRAINING: SCHREIBEN

1 Einen Tagesablauf beschreiben

a Lesen Sie Susanas E-Mail.

Liebe Christina,
wie geht es Dir denn in Deinem neuen Job als Au-pair-Mädchen in Köln? Was machst Du den ganzen Tag? Hast Du viel Arbeit?
Viele Grüße Susana

b Christinas Tag. Ordnen Sie die Verben den Bildern zu.

im Supermarkt einkaufen | mit Freunden kochen | schlafen | zusammen essen | ~~Frühstück machen~~ | Wohnung aufräumen

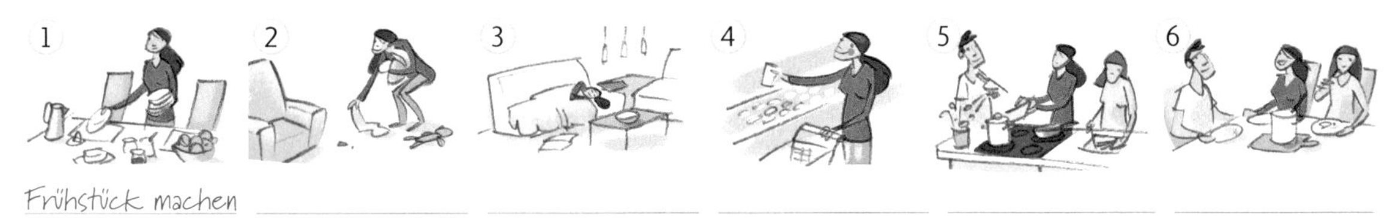

1 Frühstück machen 2 ______ 3 ______ 4 ______ 5 ______ 6 ______

c Schreiben Sie Christinas E-Mail mit den Wörtern aus **b**.

Liebe Susana,
vielen Dank für Deine E-Mail. Mir geht es sehr gut. Ich habe viel Arbeit, aber die Familie ist sehr nett.
Das habe ich zum Beispiel heute gemacht:
Um acht Uhr habe ich für die Familie Frühstück gemacht. (1)
Am Vormittag ______. (2)
Am Mittag ______. (3)
Am Nachmittag ______. (4)
Um 19 Uhr ______ (5)
und wir ______. (6)

Ich schreibe bald wieder.
Viele Grüße
Christina

REGEL Kontrollieren Sie noch einmal Ihren Text. Sind die Verben an der richtigen Position?

TRAINING: AUSSPRACHE *Satzakzent in Sätzen mit Perfekt*

▶ 1 50

1 Hören Sie und sprechen Sie nach.

Am Abend

■ Was hast du heute gemacht? ↘
▲ Heute? ↗ Nicht viel. ↘ Ich habe gelesen. ↘
■ Gelesen? ↗ Was denn? ↗
▲ Ich habe ein Buch gelesen. ↘ Und ich habe aufgeräumt. ↘
■ Aufgeräumt? ↗ Das Bad? ↗
▲ Nein. ↘ Nicht das Bad. ↘ Ich habe die Küche aufgeräumt. ↘ Und ich habe ein bisschen gelernt. ↘
■ Gelernt? ↗ Was denn? ↗
▲ Ich habe natürlich Deutsch gelernt. ↘

2 Schreiben und sprechen Sie eigene Gespräche im Perfekt.

TEST

1 Was passt? Ordnen Sie zu.

WÖRTER

a	Wein	lernen
b	die Hausaufgaben	aufräumen
c	Fahrrad	machen
d	Spanisch	einladen
e	die Zeitung	trinken
f	Freunde	fahren
g	das Zimmer	lesen

_ / 6 PUNKTE

2 Schreiben Sie Sätze im Perfekt.

STRUKTUREN

a ■ *Hast du heute gearbeitet?* (heute/arbeiten/du)
▲ Ja, aber nur bis 14 Uhr. ____________________.
(Fußball spielen/am Nachmittag/ich)

b ■ ____________________? (sehen/Monika/du)
▲ Ja, letzte Woche. ____________________. (viel/wir/lachen)

c ■ ____________________? (einkaufen/heute Nachmittag/ihr)
▲ Nein, ____________________ (Anna, Englisch lernen)
und ____________________. (Hausaufgaben machen/ich)

d ■ Was ____________________? (zum Frühstück/essen/du)
▲ Müsli. Und ich ____________________. (trinken/einen Kaffee)

e ■ Was ____________________? (heute/machen/du)
▲ Nicht viel. Ich ____________________. (schlafen/bis 12 Uhr)
Gestern ____________________.
(meine Freunde und ich/lange feiern)

_ / 11 PUNKTE

3 Ergänzen Sie den Chat. Schreiben Sie.

KOMMUNIKATION

Kelubia:
– lange schlafen, einkaufen,
15–17 Uhr: Tennis spielen

Neyla:
– Vormittag: mit Anna Deutsch lernen,
Nachmittag: arbeiten

NEYLA: Hallo Kelubia, wie geht's? Was hast Du denn heute alles gemacht?
Kelubia: Ach, *ich habe lange geschlafen*. Dann ____________________. (a)
Von ____________________. (b)
Und Du? Was ____________________? (c)
NEYLA: Am Vormittag habe ich ____________________. (d)
____________________. (e)
Jetzt räume ich noch auf, dann gehe ich schlafen.
Kelubia: Na, dann – Gute Nacht!

_ / 5 PUNKTE

Wörter	Strukturen	Kommunikation
0–3 Punkte	0–5 Punkte	0–2 Punkte
4 Punkte	6–8 Punkte	3 Punkte
5–6 Punkte	9–11 Punkte	4–5 Punkte

LERNWORTSCHATZ

1 Wie heißen die Wörter in Ihrer Sprache? Übersetzen Sie.

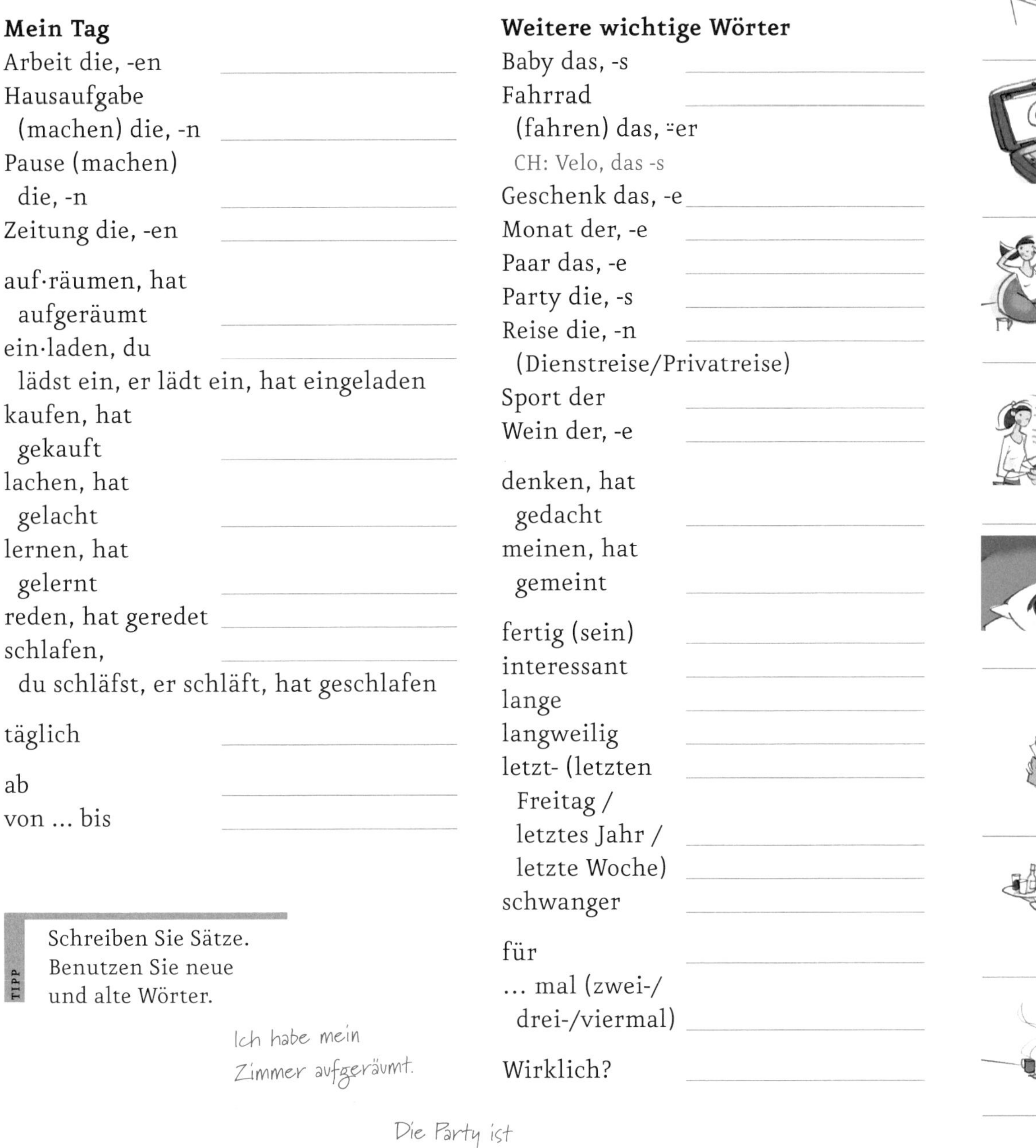

Mein Tag

Arbeit die, -en ______
Hausaufgabe (machen) die, -n ______
Pause (machen) die, -n ______
Zeitung die, -en ______

auf·räumen, hat aufgeräumt ______
ein·laden, du lädst ein, er lädt ein, hat eingeladen ______
kaufen, hat gekauft ______
lachen, hat gelacht ______
lernen, hat gelernt ______
reden, hat geredet ______
schlafen, du schläfst, er schläft, hat geschlafen ______

täglich ______

ab ______
von ... bis ______

> **TIPP**
> Schreiben Sie Sätze. Benutzen Sie neue und alte Wörter.

Ich habe mein Zimmer aufgeräumt.

Die Party ist langweilig.

Weitere wichtige Wörter

Baby das, -s ______
Fahrrad (fahren) das, ¨-er ______
CH: Velo, das -s
Geschenk das, -e ______
Monat der, -e ______
Paar das, -e ______
Party die, -s ______
Reise die, -n (Dienstreise/Privatreise) ______
Sport der ______
Wein der, -e ______

denken, hat gedacht ______
meinen, hat gemeint ______

fertig (sein) ______
interessant ______
lange ______
langweilig ______
letzt- (letzten Freitag / letztes Jahr / letzte Woche) ______
schwanger ______

für ______
... mal (zwei-/drei-/viermal) ______

Wirklich? ______

2 Welche Wörter möchten Sie noch lernen? Notieren Sie.

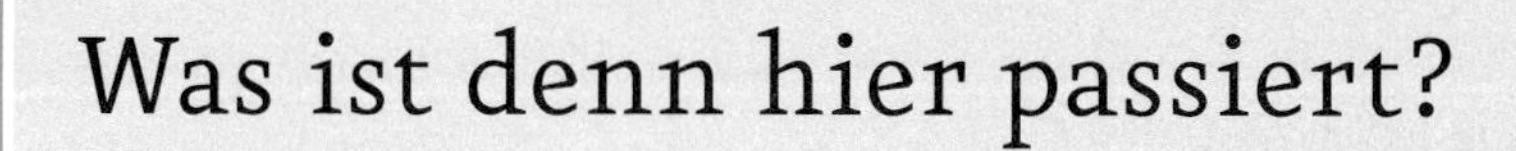

Was ist denn hier passiert?

KB 3

1 Monate und Jahreszeiten

WÖRTER

a Ergänzen und vergleichen Sie. Ordnen Sie dann die Bilder zu.

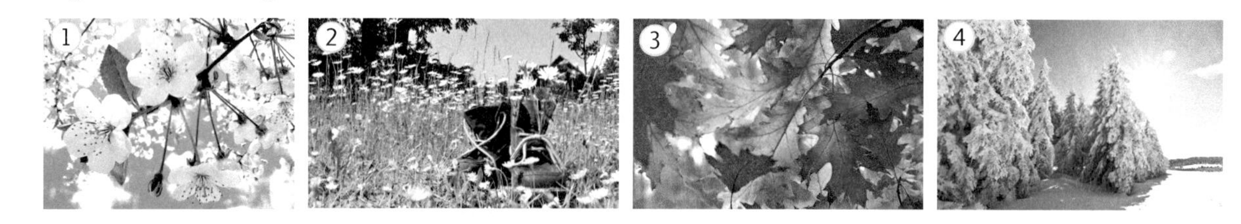

Foto	Deutsch		Englisch		Meine Sprache oder andere Sprachen
4	Winter	Dezember, J______, F______	winter	December, January, February	
	F______	M____, ______, ____	spring	March, April, May	
	______	____, ____, ______	summer	June, July, August	
	______	__________, ________, ________	autumn	September, October, November	

b Welche Jahreszeit, welcher Monat ist das?

Frühling

c Machen Sie eigene Aufgaben wie in b und tauschen Sie mit Ihrer Partnerin / Ihrem Partner.

KB 3

2 Jahreszahlen und Monate

HÖREN

▶ 1 51 **a** Welche Jahreszahlen hören Sie? Kreuzen Sie an. Wie heißt das Lösungswort?

a (H) ◯ 1789 (S) ◯ 1798
b (O) ◯ 2017 (E) ◯ 2170
c (M) ◯ 1980 (R) ◯ 1918
d (B) ◯ 1576 (P) ◯ 1376
e (E) ◯ 2011 (S) ◯ 2001
f (T) ◯ 313 (K) ◯ 333

Lösungswort: ______

▶ 1 52 **b** Wie heißt die Jahreszahl? Lesen Sie laut. Hören und vergleichen Sie dann.

a 2054 b 1255 c 1966 d 1832 e 2001

c Wann haben die Personen Geburtstag?

Hanne: 14.05. Im Mai
Bernd: 26.04. ______
Sabine: 23.02. ______
Florian: 31.08. ______

KB 4

3 Ergänzen Sie *sein* in der richtigen Form.

STRUKTUREN

a Marc ist nach New York geflogen.
b Ich ________ mit Daniel in ein Konzert gegangen.
c ________ ihr schon einmal nach Zürich gefahren?
d Oksana und Marijana ________ am Montag nicht in den Deutschkurs gekommen.
e ________ du nach Hamburg gefahren oder geflogen?

KB 4

4 Wie heißt der Infinitiv? Notieren Sie.

STRUKTUREN ENTDECKEN

Liebe Freunde,	
ich bin wieder zu Hause!	
Portugal war wirklich super. Ich bin viel im Atlantik **geschwommen**	schwimmen
und viel Rad **gefahren**. Leider war die Fahrt sehr lang.	________
Am Freitagabend bin ich in Porto **abgefahren** und erst am Sonntagmittag	________
in Frankfurt **angekommen** (und dreimal **umgestiegen** ...).	________ ________
Nächste Woche feiern wir, es gibt Wein aus Portugal! ☺	
Björn	

KB 4

5 Ergänzen Sie die Tabelle mit den Verben aus 3 und 4.

STRUKTUREN

sein + ge...en	sein + ( )ge...en
kommen – gekommen	ankommen – angekommen

KB 6

6 Ergänzen Sie *haben* oder *sein* und das Partizip in der richtigen Form.

STRUKTUREN

a kochen/gehen/~~kommen~~
■ Wie war dein Abend?
▲ Sehr gut. Isabella und Tom sind gekommen. Wir ________ zusammen eine Fischsuppe ________. Später ________ wir noch in die Disco ________.

b einkaufen/machen/fahren
■ Und was ________ ihr gestern ________?
▲ Wir ________ in die Stadt ________ und ________.

c treffen/hören/fliegen
■ Letztes Jahr ________ wir zum Edinburgh Festival ________.
▲ Und wie hat es euch gefallen?
■ Es war super. Wir ________ gute Musik ________ und Freunde ________.

d fahren/umsteigen
■ Ich ________ mit dem Zug von München nach Flensburg ________.
▲ Wie oft ________ du ________?
■ Nur einmal, in Hamburg.

KB 6 STRUKTUREN

7 Ergänzen Sie *war* oder *hatte*.

a ■ Heute *war* ich im Kino.
▲ Und wie ________ der Film?
■ Langweilig!

b ■ Hast du eingekauft?
▲ Nein, ich ________ kein Geld.

c ■ Hast du kein Obst mehr?
▲ Doch, gestern ________ ich noch Äpfel und Orangen.

d ■ Wie ________ die Party?
▲ Schön. Ich ________ viel Spaß.

KB 6 SCHREIBEN

8 Ein Tagebuch

a Teresas Tagebuch. Schreiben Sie im Perfekt.

Freitag: ~~Monas Geburtstagsfeier~~ | ~~lange feiern~~
Samstag: Max holt mich ab | gehen ins Kino | treffen Doro und Jo
Sonntag: lange schlafen | Wohnung aufräumen
Montag: arbeiten | Spanisch lernen
Dienstag: in die Stadt fahren | Kette kaufen

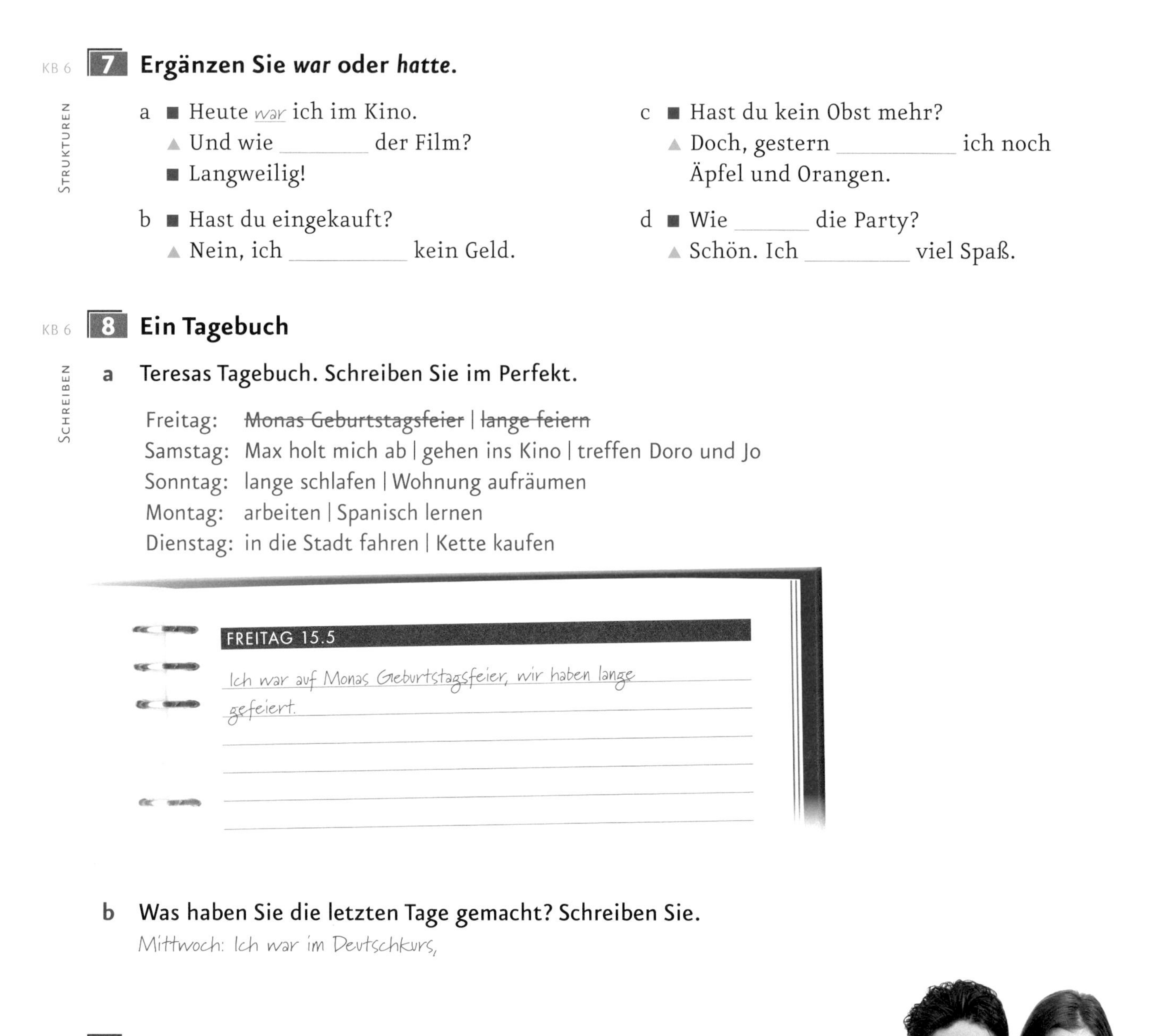

b Was haben Sie die letzten Tage gemacht? Schreiben Sie.

Mittwoch: Ich war im Deutschkurs,

KB 7 STRUKTUREN

9 *aus*, *in* oder *nach*? Kreuzen Sie an.

a Monique und Jules leben zusammen ○ aus ☒ in ○ nach Berlin.
b Monique ist Studentin, sie studiert hier Deutsch. Aber sie kommt ○ aus ○ in ○ nach der Schweiz.
c Letzten Monat ist sie ○ aus ○ in ○ nach Genf geflogen und hat ihre Eltern besucht.
d Antoine ist im September ○ aus ○ in ○ nach Deutschland gekommen.
e Er kommt ○ aus ○ in ○ nach Paris. Sein Deutsch ist nicht so gut. Mit Monique spricht er immer nur Französisch. Aber jetzt macht er einen Deutschkurs.

TRAINING: SPRECHEN

1 Über eine Party erzählen

a Wählen Sie ein Fest aus und sammeln Sie Stichpunkte zu den Fragen.

Wann und wo war die Party?
letztes Jahr

Wer hat eingeladen?

Wer war dort?

Was haben Sie gegessen / getrunken?

Was hat Ihnen gut gefallen?

TIPP
Sammeln Sie zuerst Ideen. Schreiben Sie Kärtchen zu verschiedenen Fragen. So können Sie ein Gespräch gut vorbereiten.

b Erzählen Sie Ihrer Partnerin / Ihrem Partner von dem Fest. Verwenden Sie Ihre Stichpunkte aus **a**.

Die Party war letztes Jahr / am ... um ... Uhr.
Wir haben bei ... gefeiert.
Auf dem Fest waren ... Personen.
Wir haben ... gegessen/getrunken.
... war wirklich toll. / ... hat mir (nicht) gefallen.

Die Party war letztes Jahr.
Wir haben bei Marion Silvester gefeiert. ...

TRAINING: AUSSPRACHE *vokalisches „r"*

▶ 1 53 1 Was hören Sie? Kreuzen Sie an.

	Gruppe „Straße" r wie „r"	Gruppe „Silvester" r wie „a"
Straße	◯	◯
Silvester	◯	◯
Freund	◯	◯
Reise	◯	◯
Erlebnis	◯	◯
Besucher	◯	◯
Ring	◯	◯
Bier	◯	◯
Restaurant	◯	◯

▶ 1 54 **Hören Sie noch einmal und sprechen Sie nach.**

▶ 1 55 2 Hören Sie und sprechen Sie dann.

Das deutsche Jahr

Frühling
März, April, Mai, Rock am Ring

Sommer
Juni, Juli, August, Geburtstagsparty

Herbst
September, Bier in München,
Oktober, November

Winter
Dezember, Neujahr, Januar,
Februar – Karneval

TEST

1 Monate und Jahreszeiten

WÖRTER

a Wie heißen die Monate?

1	______	4	______	7	______	10	______
2	______	5	______	8	______	11	______
3	______	6	______	9	______	12	______

b Wie heißen die vier Jahreszeiten?

______ ______ ______ ______

_ / 8 PUNKTE

2 Was ist richtig? Kreuzen Sie an.

STRUKTUREN

a Ich ☒ habe ○ bin am Wochenende meinen Geburtstag gefeiert.
b Meine Freundin aus Wien ○ hat ○ ist auch gekommen.
c Am Abend ○ haben ○ sind wir in eine Bar gegangen.
d Wir ○ haben ○ sind Freunde getroffen.
e Später in der Nacht ○ haben ○ sind wir auch getanzt.
f Heute ○ hat ○ ist meine Freundin leider wieder abgefahren.

_ / 5 PUNKTE

3 Schreiben Sie Sätze im Perfekt.

STRUKTUREN

a Lucia kommt nach Lübeck. — *Lucia ist nach Lübeck gekommen.*
b Wir fahren im Juli nach Hamburg. — Im Juli ______.
c Der Zug fährt um 12.30 Uhr ab. — Der Zug ______.
d Marcel fliegt nach Amsterdam. — ______.
e Ich gehe mit Carla ins Kino. — ______.

_ / 4 PUNKTE

4 Ergänzen Sie.

KOMMUNIKATION

(11.05. – 08:47 Uhr) *nicky1980*:
Hallo Leute, ich fliege im Sommer nach Deutschland.
Wo gibt es ein gutes Reggae-Festival?

(13.05. – 21:43 Uhr) SUNSAMMY:
Hi nicky,
es gibt viele. Ein Fest *heißt* „Chiemsee Reggae Summer Festival".
Es ist sehr groß, es ______ 30.000 Besucher.
Das Festival ______ es seit 15 Jahren und es ______ 3 Tage.
Ach ja, und es ______ im August.

(09.09. – 18:56 Uhr) *nicky1980*:
Hi und danke, sunsammy!
Ich war schon auf dem Festival. Es war wirklich super! Ich habe viele nette Leute ______ und gute Musik ______.

_ / 6 PUNKTE

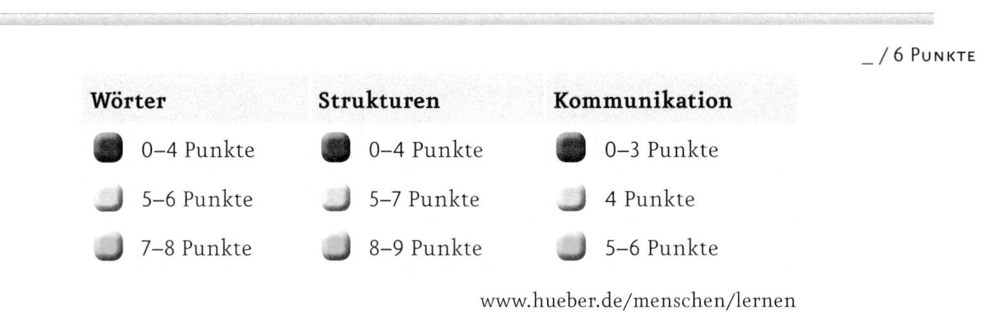

Wörter	Strukturen	Kommunikation
0–4 Punkte	0–4 Punkte	0–3 Punkte
5–6 Punkte	5–7 Punkte	4 Punkte
7–8 Punkte	8–9 Punkte	5–6 Punkte

1 Wie heißen die Wörter in Ihrer Sprache? Übersetzen Sie.

Jahreszeiten
Frühling der, -e
Sommer der, -
Herbst der, -e
Winter der, -

im Winter/ Frühling ...

Monate
Januar der, -e
A: Jänner der, -
Februar der, -e
März der, -e
April der, -e
Mai der, -e
Juni der, -s
Juli der, -s
August der, -e
September der, -
Oktober der, -
November der, -
Dezember der, -

im Januar/ Februar ...

> **TIPP**
> Finden Sie internationale Wörter. Man kann sie leicht verstehen.
>
> Vergleichen Sie die Wörter mit Ihrer Muttersprache.

Deutsch	Englisch	Französisch
Winter	winter	hiver
studieren	to study	étudier

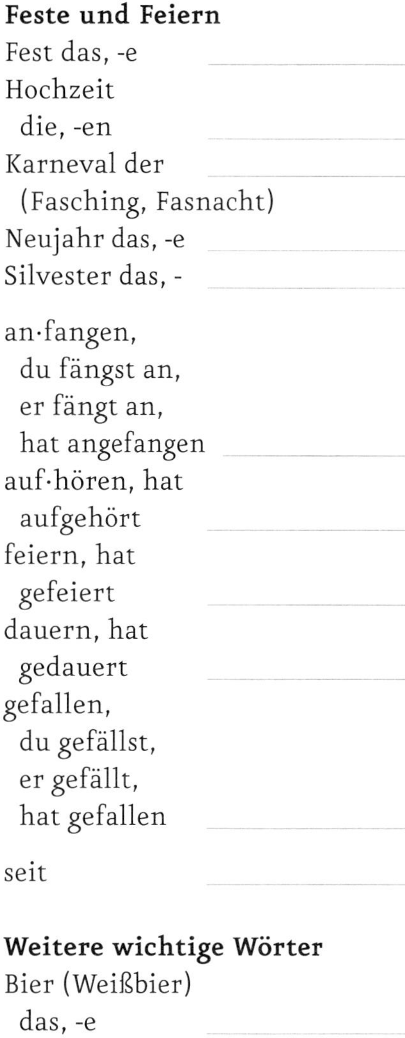

Feste und Feiern
Fest das, -e
Hochzeit die, -en
Karneval der (Fasching, Fasnacht)
Neujahr das, -e
Silvester das, -

an·fangen, du fängst an, er fängt an, hat angefangen
auf·hören, hat aufgehört
feiern, hat gefeiert
dauern, hat gedauert
gefallen, du gefällst, er gefällt, hat gefallen

seit

Weitere wichtige Wörter
Bier (Weißbier) das, -e
Leute (Pl)
Person die, -en

geben, es gibt, hat gegeben
fliegen, ist geflogen
springen, ist gesprungen
studieren, hat studiert

gestern

- März
- April
- Mai

- Juni
- Juli
- August

- September
- Oktober
- November

- Dezember
- Januar
- Februar

2 Welche Wörter möchten Sie noch lernen? Notieren Sie.

WIEDERHOLUNGSSTATION: WORTSCHATZ

1 Ergänzen Sie.

Ü = UE, Ä = AE, Ö = OE

Am 31.12. ist S I L V E S T E R .

Er arbeitet am Montag 7:30 Uhr bis 16 Uhr.

An einer Universität kann man .

Hier kommt der Zug an: .

Nach dem Winter kommt der .

Juli, , September .

Die S-Bahn fährt jeden Tag. Sie fährt .

Der 1. Monat im Jahr heißt .

Die Zeitung ist nicht interessant, sie ist .

Kai ist erst zwei Monate alt. Er ist noch ein .

Bitte an der Bahnsteigkante!

Das Jahr hat 12 .

Peter hat viel gearbeitet. Jetzt macht er eine .

Heute ist Sonntag, war Samstag.

Silvi hat Geburtstag. Ich muss noch ein kaufen.

2 Verkehr und Reisen

a Markieren Sie noch zehn Wörter.

plurflugzeuginuntstraßenbahnonthaltestelleisibahnsteigoprubahnörbegepäckustenbus
plätzgleisreverflughafenbalkofferomtaxi

b Ergänzen Sie die Wörter aus a.

der •	das •	die •
	Flugzeug	

3 Was passt? Ordnen Sie zu und schreiben Sie.

~~ein Geschenk~~ | die Zeitung | Deutsch | das Zimmer | ein Bier | nach Madrid | ein Fest |
lesen | ~~bekommen~~ | aufräumen | trinken | fliegen | lernen | feiern

ein Geschenk bekommen,

WIEDERHOLUNGSSTATION: GRAMMATIK

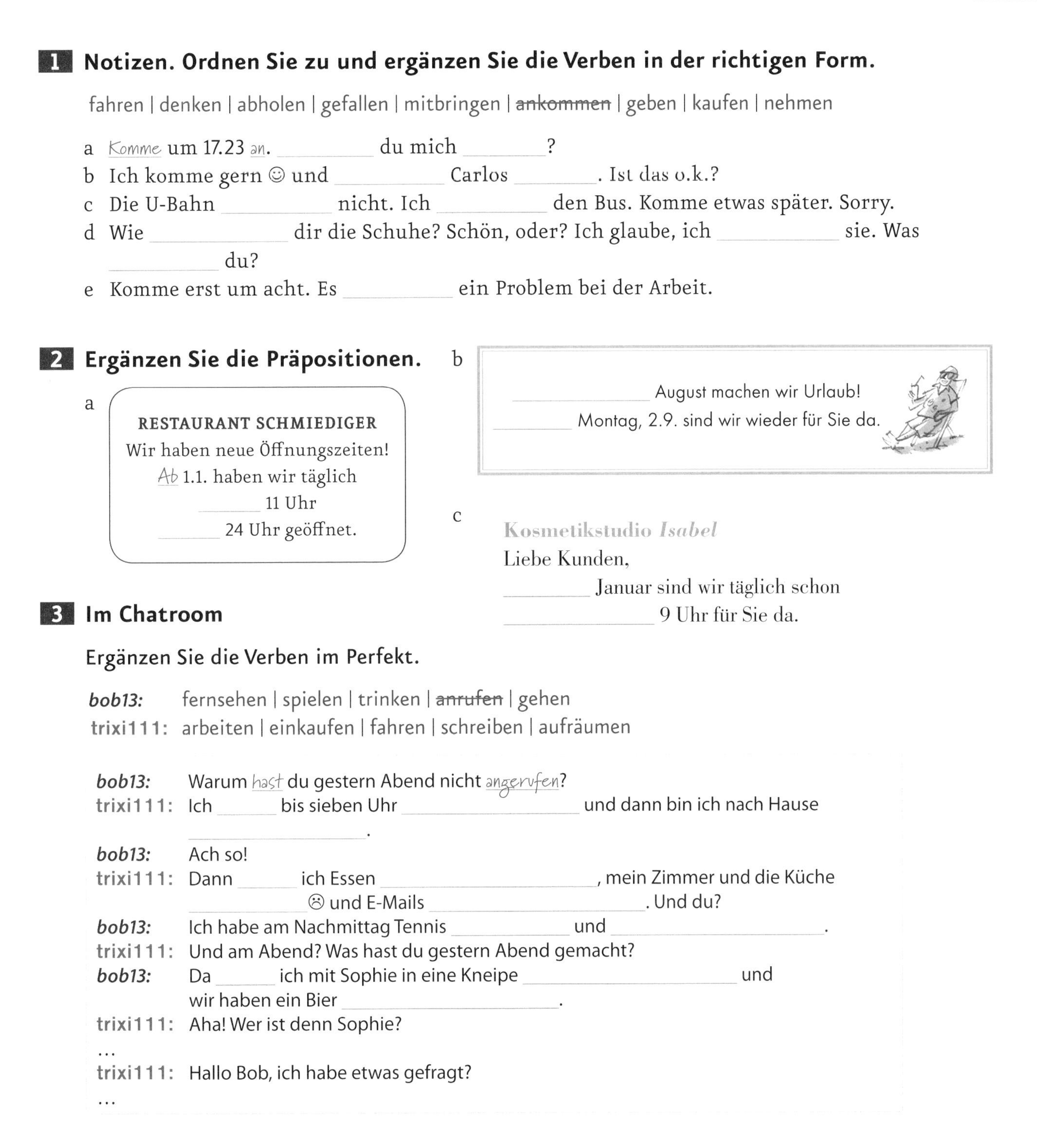

1 Notizen. Ordnen Sie zu und ergänzen Sie die Verben in der richtigen Form.

fahren | denken | abholen | gefallen | mitbringen | ~~ankommen~~ | geben | kaufen | nehmen

a Komme um 17.23 an. ___ du mich ___?
b Ich komme gern ☺ und ___ Carlos ___. Ist das o.k.?
c Die U-Bahn ___ nicht. Ich ___ den Bus. Komme etwas später. Sorry.
d Wie ___ dir die Schuhe? Schön, oder? Ich glaube, ich ___ sie. Was ___ du?
e Komme erst um acht. Es ___ ein Problem bei der Arbeit.

2 Ergänzen Sie die Präpositionen.

a

RESTAURANT SCHMIEDIGER
Wir haben neue Öffnungszeiten!
Ab 1.1. haben wir täglich
___ 11 Uhr
___ 24 Uhr geöffnet.

b

___ August machen wir Urlaub!
___ Montag, 2.9. sind wir wieder für Sie da.

c

Kosmetikstudio *Isabel*
Liebe Kunden,
___ Januar sind wir täglich schon
___ 9 Uhr für Sie da.

3 Im Chatroom

Ergänzen Sie die Verben im Perfekt.

bob13: fernsehen | spielen | trinken | ~~anrufen~~ | gehen
trixi111: arbeiten | einkaufen | fahren | schreiben | aufräumen

bob13: Warum hast du gestern Abend nicht angerufen?
trixi111: Ich ___ bis sieben Uhr ___ und dann bin ich nach Hause ___.
bob13: Ach so!
trixi111: Dann ___ ich Essen ___, mein Zimmer und die Küche ___ ☹ und E-Mails ___. Und du?
bob13: Ich habe am Nachmittag Tennis ___ und ___.
trixi111: Und am Abend? Was hast du gestern Abend gemacht?
bob13: Da ___ ich mit Sophie in eine Kneipe ___ und wir haben ein Bier ___.
trixi111: Aha! Wer ist denn Sophie?
...
trixi111: Hallo Bob, ich habe etwas gefragt?
...

4 *Haben Sie ...? / Sind Sie ...?* Ordnen Sie zu und schreiben Sie.

Einrad fahren? | ~~Sushi kochen?~~ | in London Auto fahren? | eine Nacht am Bahnhof schlafen? | im Sommer Ski fahren? | im Winter in einem See schwimmen? | in einem Helikopter fliegen? | eine ganze Nacht bis zum nächsten Morgen feiern? | in den falschen Zug einsteigen?

Haben Sie schon einmal ...?	Sind Sie schon einmal ...?
Sushi gekocht?	...

SELBSTEINSCHÄTZUNG *Das kann ich!*

Ich kann jetzt ...

... Durchsagen verstehen: L10

Bitte V ______________ an der Bahnsteigkante.
Nächster H ______________ : Innsbrucker Ring.

... am Bahnhof Informationen einholen: L10

▲ ______________ fährt der Zug nach Essen ab? ■ Auf Gleis 10.
▲ ______________ kommt der Zug in Hamburg an? ■ Um 12.48 Uhr.

... ein Telefonat beenden: L10

Gut, dann ... / Also dann ______________ .
Bis morgen. / Bis ______________ .
Mach's gut! / ______________ .
Auf Wiedersehen! / T ______________ .

... über meinen Tag sprechen (gestern): L11

▲ ______________ hast du ______________ gemacht?
■ Ich habe ______________
und ______________ .

... über Reisen sprechen: L12

Letztes Jahr war ich in ______________ .
Dieses Jahr fahre ich wieder nach ______________ .

... über Feste sprechen: L12

Letztes Jahr ______________ ich beim Oktoberfest.
Das Oktoberfest ______________ jedes Jahr im Herbst in München und ______________
ungefähr zwei Wochen. Es ______________ super. Ich
______________ viele nette Leute ______________ .

Ich kenne ...

... 5 Verkehrsmittel: L10

Diese Verkehrsmittel nehme ich oft: ______________
Diese Verkehrsmittel nehme ich fast nie / nie: ______________

... 10 Alltagsaktivitäten: L11

Diese Aktivitäten mache ich gern: ______________
____
Diese Aktivitäten mache ich nicht gern: ______________
____

... 12 Monate und die Jahreszeiten: L12

Monate: ______________
____
Jahreszeiten: ______________
____

SELBSTEINSCHÄTZUNG Das kann ich!

Ich kann auch ...

... Informationen einholen und geben (trennbare Verben + Satzklammer): L10
(am Bahnhof abholen)
W-Frage: Wann ____________________?
Ja- / Nein-Frage: Holst ____________________?
Auskunft: Ja, ich ____________________.

... einen Zeitraum angeben (temporale Präpositionen von ... *bis*, *ab*): L11
▲ Wann hast du heute gearbeitet? ■ ______ 9.00 ______ 13.00 Uhr.
▲ Wann übst du Cello? ■ ______ 16.00 Uhr.

... über Vergangenes sprechen (Perfekt + Satzklammer): L11, L12
(von 9–15 Uhr arbeiten)
Wann hast ____________________?
Ich habe gestern ____________________.

(am Abend fernsehen)
Was ____________________ gemacht?
Ich ____________________.

(nach München fliegen)
Wann ____________________?
Letztes Jahr ____________________.

... Zeiten im Jahr angeben (temporale Präposition im): L12
▲ Wann hast du Geburtstag? ■ ______ Sommer. / ______ Juni.

Üben / Wiederholen möchte ich noch ...

____

RÜCKBLICK

Wählen Sie eine Aufgabe zu Lektion 10 ____________________

1 Sehen Sie die Fotos im Kursbuch auf Seite 59 (Aufgabe 7) an und schreiben Sie kurze Gespräche.

■ Ich komme um 21.45 Uhr an. Dann nehme ich die S-Bahn.
▲ Super, ich hole dich dann am S-Bahnhof ab.

2 Wählen Sie ein Foto und schreiben Sie ein Gespräch.

RÜCKBLICK

Wählen Sie eine Aufgabe zu Lektion 11

1 Sehen Sie noch einmal das Foto im Kursbuch auf Seite 61 und die Aufgaben 2, 3 und 5 an. Was wissen Sie über Anja?

Anja — Cello spielen

2 Wählen Sie eine bekannte Person aus Deutschland, Österreich oder aus der Schweiz. Was macht diese Person an einem normalen Montag? Was denken Sie? Machen Sie Notizen und schreiben Sie.

immer früh aufstehen
...

Ich glaube, ... steht am Montag immer früh auf. Sie / Er ...

Wählen Sie eine Aufgabe zu Lektion 12

1 Ein Fest/Festival in meinem Land. Sehen Sie noch einmal im Kursbuch auf Seite 66 nach.

a Ergänzen Sie die Tabelle.

Name?	wo?	seit wann?	wann (Monat) / wie lange?

b Schreiben Sie einen Text zu Ihrem Fest/Festival ähnlich wie im Kursbuch S. 66, Aufgabe 3.

Das Fest heißt ____________ und ist in ____________.
Es ist im ____________.
Es dauert ____________.

2 Beschreiben Sie ein Fest/Festival in Ihrem Land.

Ein Fest in ____________ heißt ____________.

PAUL UND HERR ROSSMANN MACHEN FERIEN

Teil 4: Bis bald, Paul!

Paul und Anja sind in einem Café am Münchner Hauptbahnhof. Paul trinkt einen Cappuccino und Anja einen Espresso.

Zwei Wochen war Paul in München. Jetzt fährt er wieder nach Wien.

„Wie spät ist es?“, fragt Anja.

„13:35 Uhr“, sagt Paul.

„Und wann fährt dein Zug?“

„Um 14:02 Uhr.“

„Oh je, wir haben nicht mehr viel Zeit.“

„Ich finde, wir hatten zwei sehr schöne Wochen zusammen“, sagt Paul.

„Ja, das finde ich auch. Was hat dir besonders gut gefallen in München, Paul?“

„Hmm … ich weiß nicht … Mir haben viele Dinge gefallen: das Rathaus, die Frauenkirche, das Olympiastadion, der Englische Garten … Und in der Disco hat es mir sehr gut gefallen. Du tanzt wirklich super …“

„Oh, danke! Du tanzt aber auch nicht schlecht“, sagt Anja.

„Auch das Oktoberfest war toll.“

„Das hat dir wirklich so gut gefallen?“

„Ja, wirklich. Ich mag Brezen und Bier.“

Herr Rossmann bellt.

„Ich weiß, dir hat das Oktoberfest keinen Spaß gemacht“, sagt Anja. „Zu viele Leute, zu viel Bier, zu laute Musik.“

„Und was hat dir besonders gut gefallen, Anja?“

„Der lange Spaziergang gestern … Wir haben viel geredet. Das war sehr schön.“

„Ja, das war wirklich schön.“

Paul und Anja sehen sich lange an.

Paul nimmt Anjas Hand[1] und …

„VORSICHT AUF GLEIS ZWEI! IN FÜNF MINUTEN FÄHRT DER ZUG NACH WIEN AB!“

„Ach, warum gerade jetzt?“, denkt Paul.

Herr Rossmann bellt.

„Ja, ich weiß, Herr Rossmann, unser Zug ist da. Ich komme ja schon“, sagt Paul.

Sie gehen gemeinsam zum Bahnsteig.

„Möchtest du nicht noch in München bleiben?“, fragt Anja. „Eine Woche oder zwei …?“

„Ich möchte gern, aber ich habe morgen einen Termin in Wien.“

„Rufst du mich an?“

„Ja, ich rufe dich an. Schreibst du mir mal eine E-Mail?“

„Ich schreibe dir viele E-Mails.“

„Besuchst du mich einmal in Wien?“ fragt Paul.

„Oh ja, das ist eine gute Idee. Ich komme gern nach Wien.“

„VORSICHT AUF GLEIS ZWEI! IHR ZUG FÄHRT JETZT AB!“

Paul und Herr Rossmann steigen ein.

„Also, mach‘s gut, Paul.“

„Du auch, pass auf dich auf! Bis bald.“

„Ja, bis bald.“

Herr Rossmann bellt.

„Tschüs, Herr Rossmann. Bis bald!“

Der Zug fährt ab.

1 : Hand die, ¨-e

GRAMMATIKÜBERSICHT

Nomen

Artikel im Singular und Plural L06

	Singular	Plural
● maskulin	der/ein/kein Schlüssel	die/-/keine Schlüssel
● neutral	das/ein/kein Formular	die/-/keine Formulare
● feminin	die/eine/keine Briefmarke	die/-/keine Briefmarken

Nomen: Singular und Plural L06

	Singular	Plural
-e/¨e	der Stift der Schrank	die Stifte die Schränke
-(e)n	die Briefmarke die Rechnung	die Briefmarken die Rechnungen
-s	das Sofa	die Sofas
-er/¨er	das Bild das Notizbuch	die Bilder die Notizbücher
-/¨	der Kalender	die Kalender

Akkusativ nach haben, brauchen, suchen, ... L06

		definiter Artikel	indefiniter Artikel	Negativ-artikel	
● maskulin	Sie hat	**den**	ein**en**	kein**en**	Schlüssel.
● neutral		das	ein	kein	Formular.
● feminin		die	eine	keine	Briefmarke.
● Plural		die	–	keine	Stifte.

Artikelwörter und Pronomen

Possessivartikel mein/dein L03

	maskulin	*feminin*	*Plural*
ich →	mein Bruder/Mann	meine Schwester/Frau	meine Eltern/Kinder
du →	dein Bruder/Mann	deine Schwester/Frau	deine Eltern/Kinder

definiter Artikel der/das/die und Personalpronomen er/es/sie L04

Nominativ / Singular	definiter Artikel		Personalpronomen	
● maskulin	Der Tisch	ist schön.	Er	kostet 450 Euro.
● neutral	Das Bett		Es	
● feminin	Die Lampe		Sie	

indefiniter Artikel ein/eine und Negativartikel kein/keine L05

	indefiniter Artikel	Negativartikel
	Das ist ...	
● maskulin	ein Schlüssel	kein Schlüssel
● neutral	ein Buch	kein Buch
● feminin	ein**e** Brille	kein**e** Brille.

Verben

Konjugation Präsens: regelmäßige Verben L01/02

	machen	arbeiten	heißen
ich	mache	arbeite	heiße
du	machst	arbeitest	heißt
er/sie	macht	arbeitet	heißt
wir	machen	arbeiten	heißen
ihr	macht	arbeitet	heißt
sie/Sie	machen	arbeiten	heißen
	auch so: kommen, wohnen, leben ...		

Konjugation Präsens: besondere Verben L01/02/09

	haben	sein	mögen	„möchte"
ich	habe	bin	mag	möchte
du	hast	bist	magst	möchtest
er/sie	hat	ist	mag	möchte
wir	haben	sind	mögen	möchten
ihr	habt	seid	mögt	möchtet
sie/Sie	haben	sind	mögen	möchten

trennbare Verben L10

an|rufen → Ich rufe dich an.
ein|kaufen → Vielleicht kaufe ich noch was ein.

Perfekt mit haben L11

		haben +	Perfekt Partizip ...t	...en	
regelmäßig	machen	er/es/sie hat	gemacht		*auch so:* sagen – gesagt, arbeiten – gearbeitet, ...
unregelmäßig	schreiben	er/es/sie hat		geschrieben	*auch so:* essen – gegessen, trinken – getrunken, ...
trennbare Verben	auf|räumen	er/es/sie hat	aufgeräumt		*auch so:* einkaufen – eingekauft, ...
	an|rufen	er/es/sie hat		angerufen	*auch so:* einladen – eingeladen, fernsehen – ferngesehen, ...
Verben auf *-ieren*	telefonieren	er/es/sie hat	telefoniert		*auch so:* fotografieren – fotografiert, ...

Konjugation mit Vokalwechsel L03

	sprechen
ich	spreche
du	sprichst
er/sie	spricht
wir	sprechen
ihr	sprecht
sie/Sie	sprechen

Modalverb können: Konjugation L07

	können
ich	kann
du	kannst
er/sie	kann
wir	können
ihr	könnt
sie/Sie	können

GRAMMATIKÜBERSICHT

Perfekt mit *sein* L12

			Perfekt	
		sein +	**Partizip ...en**	
unregelmäßig	gehen	er/es/sie ist	gegangen	*auch so:* fliegen – geflogen, fahren – gefahren, kommen – gekommen, ...
trennbare Verben	an|kommen	er/es/sie ist	angekommen	*auch so:* einsteigen – eingestiegen, abfahren – abgefahren, ...

Präpositionen

Präposition *als*, *bei*, *in* L02

als Ich arbeite als Journalistin.

bei Ich arbeite bei X-Media.

in Ich lebe in Köln.

temporale Präpositionen *am*, *um* L08/11/12

am L08	+ Wochentage/Tageszeiten	am Dienstag / am Abend ! in der Nacht
um L08	+ Uhrzeiten	um drei Uhr
von ... bis L11	Von 9 Uhr ×———→× bis 10 Uhr	Von 9 Uhr bis 10 Uhr.
ab L11	Ab 9 Uhr ×———→	Ab 9 Uhr.
im L12	+ Monate/Jahreszeiten	im Oktober / im Herbst

Negation

nicht L02

Wir leben nicht zusammen.

Sie wohnt nicht in Köln.

Sätze

W-Frage: *wer*, *wie*, *woher* L01

	Position 2	
Wer	ist	das?
Wie	heißen	Sie?
Woher	kommst	du?

Aussage L01

	Position 2	
Ich	heiße	Paco.
Ich	komme	aus Österreich.
Mein Name	ist	Valerie.

Ja-/Nein-Frage, W-Frage und Aussage L03

Ja-/Nein-Frage		Ist	das deine Frau?
W-Frage	Wer	ist	das?
Aussage	Das	ist	meine Frau.

ja / nein / doch L03

Ist das deine Frau?	Ja, (das ist meine Frau).
	Nein, (das ist nicht meine Frau).
Das ist nicht deine Frau?	Doch, (das ist meine Frau).
	Nein, (das ist nicht meine Frau).

Modalverben: Satzklammer L07

Aussage	Du	kannst	wirklich super Gitarre	spielen.
Frage/Bitte		Kannst	du das noch einmal	sagen?

Verbposition im Satz L08

	Position 2	
Leider	habe	*ich* doch keine Zeit.
Ich	habe	leider doch keine Zeit.

„möchte" im Satz L09

Ich	möchte	etwas	essen.

trennbare Verben im Satz L10

Aussage	Vielleicht	kaufe	ich noch etwas	ein.
W-Frage	Wann	rufst	du mich	an?
Ja-/Nein-Frage		Rufst	du mich heute	an?

Perfekt im Satz L11

Aussage	Ab 9 Uhr	habe	ich	gearbeitet.
W-Frage	Was	hast	du sonst noch	gemacht?
Ja-/Nein-Frage		Hast	du Frau Dr. Weber	angerufen?

Wortbildung

–in L02

♂	♀
der Journalist	die Journalistin
der Arzt	die Ärztin

Nomen + Nomen L09

der Schokoladenkuchen	die Schokolade	+ der Kuchen
die Fischsuppe	der Fisch	+ die Suppe

LÖSUNGSSCHLÜSSEL TESTS

Lektion 1

1 Guten Morgen; Guten Abend; Gute Nacht; Auf Wiedersehen

2 Ich bin Max.; Und der Familienname?; Woher kommst du?; Aus Österreich.; Und wie geht es dir?; Sehr gut!

3 **a** heiße, kommst **b** heißen, kommen, komme **c** bist, bin **d** ist, kommt

4 **a** Es geht. Und dir? – Gut, danke. **b** Guten Morgen Herr Bux, wie geht es Ihnen? – Nicht so gut. Und Ihnen? – Sehr gut, danke!

5 Hallo, ich heiße Oborowski. – Wie bitte? Obolanski?; Ich komme aus Italien, und du? – Aus der Türkei.; Sind Sie Frau Roder? – Nein, mein Name ist Koch.; Wie geht's? – Sehr gut. Und dir?

Lektion 2

1 **b** Wohnort **c** Herkunft **d** Alter **e** Familienstand **f** Beruf **g** Arbeitgeber

2 **b** 54 **c** 45 **d** 15 **e** 50

3 Krankenschwester; Schauspieler; Studentin; Mechaniker

4 **b** Alina und Rainer, wo wohnt ihr? In München? – Ja, wir wohnen in München. **c** Wie alt sind Sie? 35? – Nein, ich bin nicht 35. **d** Wo arbeitest du? Bei Siemens? – Ja, ich arbeite bei Siemens. **e** Woher kommen Sinem und Selina? Aus der Schweiz? – Nein, sie kommen nicht aus der Schweiz.

5 **a** Bei EASY COMPUTER. **b** Aus Frankreich. **c** Ich mache eine Ausbildung als Friseurin. **d** Zwei, drei und fünf. **e** In Frankfurt.

Lektion 3

1 Eltern: Vater und **Mutter**; **Geschwister**: **Bruder** und Schwester; Kinder: Sohn und **Tochter**; **Großeltern**: Oma/ Opa und Großmutter/ **Großvater**; Enkelkinder: Enkel und **Enkelin**

2 **b** Welche Sprachen sprechen deine Kinder? **c** Ist das dein Vater? **d** Bist du verheiratet? **e** Wo wohnst du?

3 **b** Meine Kinder sprechen … **c** Ja, das ist mein Vater. **d** Nein, ich bin nicht verheiratet. **e** Ich wohne in Stuttgart.

4 mein; Meine; Deine; Dein

5 **b** Ja, ich spreche Spanisch. **c** Nein, ich bin nicht verheiratet. **d** Nein, Frau Duate ist nicht meine Lehrerin. **e** Doch, ich arbeite in Österreich.

Lektion 4

1 **b** 823 € **c** 3978 € **d** 884000 €

2 **b** Teppich **c** Lampe **d** Bett **e** Schrank

3 **b** hässlich **c** lang **d** teuer

4 **b** Die **c** Das **d** Der **e** Der

5 **b** er **c** Es **d** Sie **e** Er

6 **a** Kann ich Ihnen helfen? **b** Wie viel kostet **c** Das ist **d** Brauchen Sie **e** Sie kostet **f** Vielen Dank **g** zu teuer

Lektion 5

1 Farben: orange; Formen: eckig, rund; Gegenstände: Feuerzeug, Seife; Materialien: Kunststoff, Metall

2 **b** richtig **c** richtig **d** richtig **e** falsch **f** richtig

3 **b** eine **c** kein, ein **d** ein **e** keine, eine **f** ein

4 **a** wie heißt das **b** das ist **c** Wie bitte **d** wie schreibt man **e** Dank **f** Problem

Lektion 6

1 **b** Kalender **c** E-Mail **d** Rechnung **e** Termin **f** Büro

2 **b** die Briefmarke, die Briefmarken **c** der Stift, die Stifte **d** das Handy, die Handys **e** das Formular, die Formulare **f** der Drucker, die Drucker **g** der Termin, die Termine **h** der Kalender, die Kalender

3 **a** Der **b** einen **c** einen, einen **d** keinen, einen **e** der

4 **a** Guten Tag **b** Hier ist **c** Wo ist denn **d** Vielen Dank **e** Auf Wiederhören

Lektion 7

1 **a** tanzen, Freunde treffen **b** Fußball spielen, Rad fahren **c** lesen, fotografieren, backen

2 **b** oft **c** nie **d** sehr oft

3 **b** liest **c** Fährst **d** Können **e** Triffst

4 **b** Können wir ein bisschen Musik hören? **c** Er kann wirklich toll kochen **d** Könnt ihr Tennis spielen
e Mein Freund kann leider nicht Ski fahren

5 **a** Herzlichen **b** danke **c** toll, Vielen **d** gut, sehr

Lektion 8

1 **b** Café **c** Kino **d** Ausstellung **e** Disco

2 Die Woche hat 7 Tage. Sie heißen Montag, Dienstag, Mittwoch, Donnerstag, Freitag, Samstag, Sonntag

3 **a** sieben Uhr fünfundvierzig, Morgen **b** zehn vor elf, zehn Uhr fünfzig **c** Viertel nach drei, fünfzehn Uhr fünfzehn, Nachmittag **d** fünf vor halb acht, neunzehn Uhr fünfundzwanzig, Abend **e** halb zwölf, Nacht

4 Heute Vormittag spielt Thomas Tennis. – Um 14 Uhr treffe ich Anna. – Am Abend gehen wir ins Kino. – Vielleicht können wir am Sonntag fahren?

5 **b** in **c** am **d** am, um

6 **a** Hast du am Freitag Zeit? **b** Leider kann ich nicht. **c** Und am Samstag? **d** Da habe ich Zeit. **e** Wann denn?

Lektion 9

1 **a** Sahne **b** Orangen, Äpfel und Zitronen **c** Ei **d** Braten **e** Suppe **f** Tee

2 **b** die Kartoffel, die Suppe, die Kartoffelsuppe **c** der Apfel, der Kuchen, der Apfelkuchen **d** der Schinken, das Brötchen, das Schinkenbrötchen

3 **b** Möchtet **c** mag **d** esse **e** Möchten

4 **a** Oh ja, bitte! **b** Danke, ebenfalls! **c** Nein, danke! **d** Ja, gern! **e** Nein, nicht so gern.

Lektion 10

1 **a** Straßenbahn **b** Flugzeug **c** Bahnsteig/Bahnhof **d** Haltestelle

2 **a** Koffer **b** Halt **c** Zug, Gleis **d** U-Bahn, Taxi

3 **b** Wann kommst du an? **c** Kannst du bitte am Hauptbahnhof aussteigen? **d** Ich hole dich ab. **e** Jetzt kaufe ich Brötchen ein, dann können wir zusammen frühstücken.

4 Nehmt ihr ein Taxi? – Nein, die U-Bahn.; Holst du mich ab? – Ich habe leider keine Zeit.; Wann kommt der Zug an? – Um 09:45 Uhr.; Wo steigst du um? – Am Rathausplatz.

Lektion 11

1 **b** die Hausaufgaben machen **c** Fahrrad fahren **d** Spanisch lernen **e** die Zeitung lesen **f** Freunde einladen **g** das Zimmer aufräumen

2 **a** Am Nachmittag habe ich Fußball gespielt. **b** Hast du Monika gesehen? – Wir haben viel gelacht. **c** Habt ihr heute Nachmittag eingekauft? – Nein, Anna hat Englisch gelernt und ich habe Hausaufgaben gemacht. **d** Was hast du zum Frühstück gegessen? – Müsli. Und ich habe einen Kaffee getrunken. **e** Was hast du heute gemacht? – Nicht viel. Ich habe bis 12 Uhr geschlafen. Gestern haben meine Freunde und ich lange gefeiert.

3 **a** Dann habe ich eingekauft. **b** Von 15- 17 Uhr habe ich Tennis gespielt. **c** Was hast du gemacht? **d** Am Vormittag habe ich mit Anna Deutsch gelernt. **e** Am Nachmittag habe ich gearbeitet.

Lektion 12

1 **a** 1 Januar 2 Februar 3 März 4 April 5 Mai 6 Juni 7 Juli 8 August 9 September 10 Oktober 11 November 12 Dezember **b** Frühling; Sommer; Herbst; Winter

2 **b** ist **c** sind **d** haben **e** haben **f** ist

3 **b** Im Juli sind wir nach Hamburg gefahren. **c** Der Zug ist um 12.30 Uhr abgefahren. **d** Marcel ist nach Amsterdam geflogen. **e** Ich bin mit Carla ins Kino gegangen.

4 SUNSAMMY: kommen, gibt, dauert, ist; nicky1980: getroffen/ kennengelernt, gehört.

QUELLENVERZEICHNIS

Cover: © Getty Images/Image Source
Seite 6: Übung 1 © fotolia/contrastwerkstatt; Übung 5: A © fotolia/c; B © iStockphoto/sumnersgraphicsinc; C © fotolia/Waldteufel; D © fotolia/Bergfee; E © PantherMedia/Matthew Trommer
Seite 7: oben © PantherMedia/James Steidl; unten von links © imago/ MIS; © SuperStock/Getty Images; © action press/Rex Features; © picture-alliance/epa/Justin Lane
Seite 9: Fahnen © fotolia/createur
Seite 12: 1 © PantherMedia/Andres Rodriguez; 2 © iStockphoto/Viorika; 3 © iStockphoto/syagci; 4 und 5 © irisblende.de; 6 © iStockphoto/DianaLundin
Seite 13: © fotolia/Meddy Popcorn
Seite 14: © fotolia/helix
Seite 15: von oben © iStockphoto/dlewis33; © PantherMedia/Yuri Arcurs
Seite 17: von oben © iStockphoto/toddmedia; © fotolia/Jonny; © iStockphoto/syagci; © fotolia/Albert Schleich; © iStockphoto/claudiaveja; © iStockphoto/ImageegamI; © PantherMedia/Andres Rodriguez ; © irisblende.de; © iStockphoto/DianaLundin; © iStockphoto/Viorika; © irisblende.de; © iStockphoto/goldenKB
Seite 18: Übung 1 © bildstelle/Rex Features; Fahne © fotolia/createur
Seite 19: von links © fotolia/Michael Kempf; © PantherMedia/Harald Hinze; © iStockphoto/boguslavovna; © iStockphoto/starfotograf
Seite 24: Übung 2a oben von links © PantherMedia/Martin Kosa; © PantherMedia/Daniel Petzold; Mitte von links © iStockphoto/Jan Tyler; © iStockphoto/Daniel Laflor; unten von links © iStockphoto/Cindy Singleton; © fotolia/Albert Schleich; © iStockphoto/Alina Solovyova-Vincent
Seite 25: von oben © Stockphoto/pink_cotton_candy; © PantherMedia
Seite 27: 2 © action press/Magics
Seite 29: Hintergrund © Pierre Adenis/GAFF/laif
Seite 32: Sofa © iStockphoto/jallfree
Seite 35: von oben © iStockphoto/tiler84; © iStockphoto/Luso; © iStockphoto/IlexImage; © iStockphoto/jallfree; © iStockphoto/sjlocke; © iStockphoto/simonkr; © iStockphoto/terex; © iStockphoto/Luso
Seite 36: Übung 1 von links © fotolia/Daniel Burch; © iStockphoto/deepblue4you; © fotolia/Taffi; © iStockphoto/karandaev; © iStockphoto/eldadcarin; © fotolia/Klaus Eppele; © iStockphoto/Paula Connelly; © iStockphoto/phant; © iStockphoto/zentilia; © iStockphoto/DesignSensation; Übung 4 oben von links © iStockphoto/Luis Sandoval Mandujano; © iStockphoto/billnoll; Mitte von links © iStockphoto/twohumans; © iStockphoto/jallfree ; unten © PantherMedia/Werner Friedl; © fotolia/createur
Seite 38: von oben © iStockphoto/golovorez; © iStockphoto/twohumans; © fotolia/Kayros Studio; © iStockphoto/AlbertSmirnov; © iStockphoto/Carlos Alvarez
Seite 39: © PantherMedia/Franck Camhi
Seite 41: von oben © fotolia/Daniel Burch; © iStockphoto/deepblue4you; © fotolia/Taffi; © iStockphoto/karandaev; © iStockphoto/eldadcarin; © fotolia/Klaus Eppele; © iStockphoto/Paula Connelly; © iStockphoto/phant; © iStockphoto/zentilia; © iStockphoto/DesignSensation
Seite 42: oben von links © iStockphoto/lucato; © PantherMedia/Reiner Wuerz; © iStockphoto/raclro; unten von links © fotolia/Daniel Burch; © PantherMedia/Dietmar Stübing; © fotolia/Michael Möller; © iStockphoto/Viktorus
Seite 47: von oben © fotolia/Fatman73; © Hueber Verlag; © iStockphoto/milosluz; © Hueber Verlag; © iStockphoto/raclro; © PantherMedia/Reiner Wuerz; © iStockphoto/dcbog; © fotolia/Michael Möller; © iStockphoto/jaroon; © iStockphoto/lucato; © iStockphoto/nico_blue ; © iStockphoto/chas53; © fotolia/Michael Möller; © PantherMedia/Dietmar Stübing; © iStockphoto/Viktorus
Seite 48: © iStockphoto/raclro
Seite 52: © fotolia/Stockcity
Seite 53: Hintergrund © PantherMedia/Michael Unterrainer
Seite 55: © iStockphoto/Alina555
Seite 56: oben von links © fotolia/Forgiss; © fotolia/shoot4u; unten von links © PantherMedia; © fotolia/Yuri Arcurs
Seite 59: von oben © iStockphoto/Jan-Otto; © digitalstock/Baum; © iStockphoto/NickS; © fotolia/Franz Pfluegl; © iStockphoto/attator; © PantherMedia/Thomas Lammeyer; © iStockphoto/hidesy; © iStockphoto/bluestocking; © fotolia/Talex; © iStockphoto/tacojim; © iStockphoto/anouchka; © fotolia/Monkey Business; © fotolia/Thomas Oswald; © iStockphoto/trait2lumiere
Seite 62: Kinokarte © Hueber Verlag
Seite 65: von oben © digitalstock; © iStockphoto/luoman; © iStockphoto/mpalis; © iStockphoto/kgelati1; © iStockphoto/Franky De Meyer; © pitopia/David Büttner; © iStockphoto/Editorial12; © iStockphoto/Cimmerian; © iStockphoto/manley099; © iStockphoto/alicat; © digitalstock

Seite 66: a © fotolia/Olga Patrina; b © PantherMedia/Doris Heinrichs; c © iStockphoto/jerryhat; d © fotolia/gtranquillity; e © iStockphoto/RedHelga; f © iStockphoto/duncan1890; g © fotolia/Aleksejs Pivnenko; h © fotolia/Tomboy2290; i © iStockphoto/Laks-Art; j © fotolia/seen; k © iStockphoto/PLAINVIEW; l © iStockphoto/Anna Sedneva
Seite 71: von oben © iStockphoto/jerryhat; © iStockphoto/PLAINVIEW; © PantherMedia/Doris Heinrichs; © iStockphoto/monica-photo; © fotolia/Aleksejs Pivnenko; © fotolia/gtranquillity; © iStockphoto/adlifemarketing; © iStockphoto/Anna Sedneva; © iStockphoto/RedHelga, © fotolia/seen; © iStockphoto/duncan1890; © fotolia/Olga Patrina; © iStockphoto/Laks-Art; © fotolia/Tomboy2290; © fotolia/sumnersgraphicsinc; © fotolia/Birgit Reitz-Hofmann
Seite 75: oben von links © iStockphoto/PLAINVIEW ; © PantherMedia/Doris Heinrichs ; unten © action press/Startraks
Seite 77: Hintergrund © iStockphoto/slobo
Seite 80: von oben © Deutsche Bahn AG/Claus Weber; © fotolia/Daniel Hohlfeld; © colourbox.com; © PantherMedia/Robert Neumann; © iStockphoto/Steve Mcsweeny; © iStockphoto/JVT; © iStockphoto/Juan Batet
Seite 81: von links © action press/Marcus Krüger; © imago/Lutz Winkler; © dpa Picture-Alliance/Ingo Wagner
Seite 83: Bahnhof © iStockfoto/gmutlu; Flughafen © fotolia/Daniel Hohlfeld; S-Bahn © iStockphoto/Leonsbox; Taxi © colourbox.com; Bus © iStockphoto/Steve Mcsweeny; Zug © Deutsche Bahn AG/Claus Weber; Tram © PantherMedia/Robert Neumann; U-Bahn © iStockphoto/JVT; Flugzeug © fotolia/Ilja Mašík; Gleise © iStockphoto/LordRunar; Bahnsteig © PantherMedia/Detlef Schneider; Koffer © iStockphoto/felinda; Gepäckband © iStockphoto/stasvolik; Gepäck © fotolia/adisa; Bushaltestelle © iStockphoto/ollo
Seite 90: von links © fotolia/margelatu florina; © fotolia/sonne Fleckl; © iStockphoto/konradlew; © PantherMedia/Daniel Schoenen
Seite 92: © fotolia/Robert Kneschke
Seite 96: von oben © fotolia/margelatu florina; © iStockphoto/gmutlu
Seite 99: von links © Getty Images/fstop/Stella; © colourbox.com; © Deutsche Bahn AG/Hartmut Reiche
Seite 101: Hintergrund © iStockphoto/ollo

Alle Wörterbuchauszüge aus: Hueber Wörterbuch Deutsch als Fremdsprache
Alle übrigen Fotos: Hueber Verlag/Florian Bachmeier